A LONGA MARCHA DOS GRILOS CANIBAIS

CB016906

FERNANDO REINACH

A longa marcha dos grilos canibais

E outras crônicas sobre a vida no planeta Terra

8ª reimpressão

COMPANHIA DAS LETRAS

Copyright © 2010 by Fernando Reinach

Grafia atualizada segundo o Acordo Ortográfico da Língua Portuguesa de 1990, que entrou em vigor no Brasil em 2009.

Capa
Kiko Farkas/ Máquina Estúdio
Mateus Valadares/ Máquina Estúdio

Fotos de capa
T19437 Ovandevow Monkey, gravado por C. de Lost, prancha 137(44) da The Natural History of Manimal, vol. 2, de Georges Cuvier e E. Geoffroy Sainte-Hilaire, 1824 (litogravura), Werner (século XIX). Natural History Museum, Londres/ The Bridgeman Art Library.

Butterflies, Caterpillars and Plants, prancha XI, por J. Dutfield. Natural History Museum, Londres/ The Bridgeman Art Library.

Preparação
Maria Cecília Caropreso

Índice remissivo
Todotipo Editorial

Revisão
Carmen S. da Costa
Isabel Jorge Cury

Dados Internacionais de Catalogação na Publicação (CIP)
(Câmara Brasileira do Livro, SP, Brasil)

Reinach, Fernando
A longa marcha dos grilos canibais e outras crônicas sobre a vida no planeta Terra / Fernando Reinach. — São Paulo : Companhia das Letras, 2010.

ISBN 978-85-359-1618-8

1. Crônicas brasileiras I. Título.

10-00951 CDD-869.93

Índice para catálogo sistemático:
1. Crônicas : Literatura brasileira 869.93

[2022]
Todos os direitos desta edição reservados à
EDITORA SCHWARCZ S.A.
Rua Bandeira Paulista, 702, cj. 32
04532-002 — São Paulo — SP
Telefone: (11) 3707-3500
www.companhiadasletras.com.br
www.blogdacompanhia.com.br
facebook.com/companhiadasletras
instagram.com/companhiadasletras
twitter.com/cialetras

Para Biah Tess

Sumário

II. FLORESTAS

III. SEXO

IV. COMPORTAMENTO

V. MENTE

VI. HUMANO

XI. POLÍTICA

Introdução

Cada descoberta científica é uma pequena história de aventura. Partindo da segurança de um lugar conhecido, a expedição penetra em território inexplorado. O que se encontra pode ser imprevisto ou inacreditável. Muitas vezes a aventura é apenas divertida, outras vezes nos força a mudar crenças centenárias. As implicações do que encontramos podem ser morais, políticas ou deliciosamente práticas.

Nas publicações científicas o relato dessas aventuras está encoberto por uma infinidade de termos técnicos, descrição de métodos e um cuidado paranoico com a precisão da linguagem. O resultado é que o sabor da aventura se perde em um texto quase incompreensível.

Meu objetivo é recontar algumas dessas aventuras. Cada texto descreve uma única expedição, tentando preservar seu sabor original, e a maioria deles baseia-se em um único trabalho científico. Ao contrário de um livro didático, que descreve, agrupa e interconecta tudo o que foi descoberto pelas inúmeras expedições que visitaram o mesmo território, estes textos sacrificam a visão geral da floresta recém-desvendada em favor do prazer de cada caminhada no seu interior ainda desconhecido.

A seleção das expedições foi totalmente arbitrária e reflete meus interesses pessoais. Ao folhear revistas científicas, me detenho no que me chama a atenção. Pode ser uma investigação dos hábitos sexuais de um inseto, de pessoas com distúrbios visuais, a migração de grilos ou as relações entre girafas e formigas. Como tenho minhas preferências, diversas histórias relatam expedições em um mesmo território, agrupadas em capítulos.

O formato de cada texto tenta mimetizar o formato dos trabalhos científicos. Primeiro descreve o local de onde a expedição partiu e o que imaginamos que sabemos sobre o assunto. À expedição propriamente dita, experimento a experimento, segue-se a descrição do que foi observado. Por fim, o texto fecha com um parágrafo no qual me permito dar vazão à imaginação e especular sobre o significado do que descobrimos durante a aventura. Meu compromisso de fidelidade com o trabalho original, citado após cada texto, se restringe aos experimentos e resultados. Os delírios da imaginação são de minha responsabilidade.

Estes textos são uma seleção das colunas semanais que publiquei no jornal *O Estado de S. Paulo* entre 2004 e 2009.

I. AMBIENTE

1. Extermínio em curso no Pacífico

Quando os helicópteros surgem voando baixo, os cabritos montanheses param de pastar, viram a cabeça em direção ao ruído e começam a correr. Com o corpo fora dos helicópteros, óculos escuros e rifles automáticos, fica fácil. Os cabritos rolam na relva. Os filhotes são poupados, não por compaixão, mas por serem alvos difíceis. Os sobreviventes se escondem nas montanhas. Chegam os Land Rovers com os Judas, cabritos castrados portadores de radioemissores, e as super-Judas, fêmeas castradas injetadas com hormônios, capazes de atrair filhotes famintos. Soltos, eles correm e se juntam aos sobreviventes. No dia seguinte, os helicópteros guiados por sinais de rádio vão localizar e exterminar o resto do bando. Milionários excêntricos caçando na África? Não, ecólogos financiados pela ONU, 21 milhões de dólares, tentando preservar a biodiversidade da ilha de Isabela, nas Galápagos, um dos mais importantes santuários ecológicos do planeta. O objetivo é exterminar 150 mil cabritos que infestam os 458 mil hectares da ilha. O último foi morto em março de 2006.

Na ausência de predadores, os cabritos levados para lá no

século XIX pastaram até deixar a terra desnuda. Na ilha de Laysan, no Havaí, coelhos provocaram a extinção de 26 espécies de plantas em vinte anos. No arquipélago de Kerguelen, uma gata solta em 1950 e seus três filhotes geraram 3500 descendentes que devoraram milhões de aves.

Programas de extermínio, apesar de pouco divulgados, existem há décadas e, no ambiente restrito das ilhas, têm sido um sucesso. Ratos foram extintos em 234 ilhas; gatos, em 48; cabritos, em 120; coelhos, em cinquenta; porcos, em cem; e raposas, em 39. O sucesso é bem menor quando o objetivo é exterminar plantas ou insetos. Nos continentes, é tarefa impossível.

Nem tudo são flores. Quando os ecólogos bombardearam a ilha de Anacapa com toneladas de veneno contra ratos, defensores dos direitos dos animais invadiram a ilha e espalharam iscas contendo o antídoto. Na ilha de Santa Cruz, na Califórnia, o alvo são os porcos, introduzidos pelos colonizadores, que eliminam as raposas nativas. Ao longo dos anos, os filhotes de porcos atraíram as águias da Califórnia. Com a gradual redução do número de porcos, as águias passaram a atacar as raposas nativas. O que fazer agora para salvar as raposas? Matar as águias, símbolo dos Estados Unidos? Nos céus de Santa Cruz pequenos aviões voam com faixas "Save the pigs". Na Califórnia qualquer causa encontra defensores.

É a prepotência do bicho-homem, que descobriu a ética, a ecologia e sofre da culpa de estar alterando os ambientes em que vive. Nossas tentativas de manipular ecossistemas complexos são provavelmente inúteis. Assim como os furacões, o instinto de reprodução e a competição entre espécies são forças poderosas demais para ser controladas. Se desejamos restringir nosso impacto no planeta, o melhor é controlar o número de humanos e suas atividades predatórias. O erro é acreditar que nossa capacidade de destruir ecossistemas nos habilita a controlar a interação entre os seres vivos e o meio ambiente.

Mais informações em: "Winning the war against island invaders". Science, *vol. 310, p. 1410, 2005.*

2. O que dizem os moais

A Ilha de Páscoa foi descoberta em 1722. Distante 3500 quilômetros da costa do Chile e com uma extensão de 25 quilômetros, é o local mais isolado do planeta. Os navegadores que ali chegaram encontraram a ilha coberta por uma vegetação rasteira, pobre em animais, praticamente sem árvores, habitada por índios que comiam ratos, praticavam canibalismo e sobreviviam de uma agricultura rudimentar. Mas o que chamou a atenção de seus "descobridores" foram as enormes estátuas de pedra, os moais. São quase novecentos torsos de até vinte metros de altura distribuídos por toda a periferia da ilha. Quem teria produzido os moais?

Nos últimos dez anos, o mistério foi desvendado. Arqueólogos conseguiram reconstituir a história do homem na Ilha de Páscoa a partir das camadas de lodo acumuladas nos pântanos. As camadas mais profundas preservam amostras de pólen e sementes existentes na ilha desde 3 mil anos atrás. A idade de cada camada de lodo pode ser determinada com uma precisão de cinquenta anos, tornando possível reconstituir o que ocorreu com a fauna e a flora da região no decorrer desse período. A mesma técnica foi usada para analisar restos de comida, ossos de animais, pedaços de conchas, espinhas de peixe e tudo que se acumulou nas diversas camadas de lixo deixadas pelas gerações que habitaram a ilha. Isso permitiu reconstituir as mudanças nos hábitos alimentares ao longo do tempo.

Os primeiros seres humanos desembarcaram ali pouco antes do ano 900, vindos de outras ilhas do Pacífico. Encontram uma ilha coberta por florestas de árvores grossas e palmeiras gigantes (dados fornecidos pelos pântanos). Era habitada por diversos tipos de pássaros, muitos incapazes de voar. As tartarugas marinhas eram abundantes. Os primeiros habitantes pescavam golfinhos longe da costa com canoas construídas com troncos (dados fornecidos das camadas de lixo). Centenas de anos mais tarde, apareceram as plantas domesticadas e os ratos, trazidos de outras ilhas da Polinésia. O início do desmatamento coincidiu com o aparecimento da agricultura e permitiu o aumento da população. Por volta do ano 1200, a ilha chegou a ter 30 mil habitantes. Entre os anos 1000 e 1400, foram produzidos os moais, tarefa a que se dedicava boa parte da população. O transporte das estátuas era feito por até quinhentas pessoas, com cordas de palmeiras e rolos de troncos.

Os dados fornecidos pelos pântanos mostram a diminuição das florestas a partir dos anos 1200, com o pico do desmatamento em 1400. Em 1600, já não existiam árvores na ilha. Sem árvores, sem canoas. Sem canoas, sem peixe. Com a destruição das florestas e a chegada dos ratos, desapareceram os ovos e os pássaros. A parca vegetação rasteira foi incapaz de proteger o solo, o que levou à diminuição da quantidade de alimentos. Por volta de 1650, surgiram os primeiros ossos humanos roídos e cozidos nas pilhas de lixo. Junto a eles, ossos de ratos, então uma fonte de proteína. Fome e guerras reduziram a população. Restaram 2 mil pessoas famintas, isoladas no meio do Pacífico pela falta de canoas. Foi essa a ilha descoberta em 1722.

Num período de oitocentos anos, o homem chegou à ilha de Páscoa, criou uma civilização, destruiu o ambiente e quase extinguiu a si próprio. Os moais porém permaneceram, e eles nos avisam: cuidado com a Terra, ela está isolada no espaço como a Ilha de Páscoa está isolada no Pacífico.

A história completa está em: Collapse. How societies choose to fail or succeed, *de Jared Diamond, Viking Penguin Press, Nova York, 2005.*

3. A complexa relação entre girafas, árvores e formigas

Ecossistemas complexos como a floresta amazônica e a savana africana ainda são lugares onde o que desconhecemos supera em muito o que conhecemos. A cada nova descoberta fica mais evidente nossa ignorância. A recém-descoberta relação entre árvores, formigas e os grandes herbívoros é um bom exemplo.

Tudo começou quando um grupo de ecólogos levou um susto ao estudar uma área que havia sido cercada para evitar a presença de girafas e elefantes. Eles esperavam, depois disso, encontrar um aumento no número de acácias, as árvores preferidas pelos herbívoros, mas para seu espanto as árvores pareciam mais sofridas e seu número havia diminuído. Como explicar que a ausência de "comedores de árvores" diminuía o número de árvores?

Instigados por essa observação, os ecólogos decidiram comparar as acácias de duas áreas de savana, uma em que os herbívoros circulavam livremente e outra na qual eles haviam sido retirados fazia quinze anos. A descoberta foi surpreendente.

Os ecólogos observaram que nas áreas em que os herbívoros podavam regularmente as acácias, elas eram habitadas por uma espécie de formiga que vive no oco dos espinhos e se alimenta de um tipo de seiva secretada pela árvore. Essas formigas defendem seu território de maneira agressiva. Se você, outro inseto ou um pequeno animal se encostar nessas árvores, as formigas tentam repelir a "invasão" com ferroadas agressivas. Essas formigas "do bem" praticamente não causam danos à árvore — na verdade são "sustentadas" pela seiva que ela secreta. O que as formigas de fato estão fazendo é defender seu território de outras formigas (vamos chamá-las "do mal") que, ao se instalarem na árvore, cortam suas folhas, permitindo que outros insetos cavem buracos nos troncos, enfraquecendo assim a árvore. O que ocorre na savana é uma competição ferrenha entre essas espécies de formigas, cada uma dominando um grupo de árvores e disputando espaço nelas. Mas e as girafas, o que elas têm a ver com a competição entre as formigas "do bem" e as "do mal"?

O que os ecólogos notaram é que nas áreas em que os herbívoros foram retirados, as acácias, na ausência da poda constante promovida por girafas e elefantes, pararam de secretar a seiva que alimenta as formigas "do bem". Provavelmente, a secreção dessa seiva é uma reação da árvore à poda feita pelos herbívoros. Sem o suprimento de seiva, as agressivas formigas "do bem" acabam perdendo a competição para as formigas "do mal". Nas áreas em que não existem herbívoros de grande porte, as formigas "do mal" dominam um número maior de acácias. Como as formigas "do mal" são prejudiciais às acácias e, além disso, permitem que outros insetos ataquem as árvores, o resultado é que estas se desenvolvem mais lentamente, o que explica por que as acácias se tornam mirradas na ausência de herbívoros.

O interessante desse estudo é que ele demonstra como são complexas as interações entre seres vivos e como nossa primeira impressão (menos girafas, mais árvores) muitas vezes está totalmente equivocada. Como sempre, a realidade é muito mais intrincada do que imaginamos. Um dos principais erros cometidos por muitos conservacionistas é acreditar que conhecem o suficiente sobre ecossistemas para poder "manejá-los". Por outro lado, na velocidade com que o homem está destruindo esses ecossistemas eles desaparecerão muito antes que possamos compreender como são regulados.

Mais informações em: "Breakdown of an ant-plant mutualism follows the loss of large herbivores from an African savanna". Science, *vol. 319, p. 192, 2008.*

4. Zonas mortas nos oceanos

É fácil sensibilizar o mundo para o desmatamento da floresta amazônica, fotos de troncos carbonizados fazem metade do trabalho. O que poucos sabem é que um desastre semelhante está ocorrendo nos oceanos. Ao longo de toda a costa, acompanhando as grandes ocupações humanas, estão pipocando zonas mortas, áreas onde a biodiversidade dos mares praticamente desaparece. Apesar de essas regiões não serem fotogênicas, elas vêm crescendo de maneira assustadora.

Hoje há mais de quatrocentos locais onde praticamente não existe mais vida oceânica. A grande maioria está localizada na costa leste dos Estados Unidos e nas costas do norte da Europa. No Brasil existem pelo menos cinco áreas bem documentadas. A região defronte a Santos e Guarujá, no litoral paulista, e a baía da Guanabara, no Rio de Janeiro, são as mais conhecidas. No total, estima-se que 245 mil quilômetros quadrados estejam morrendo, o que equivale a aproximadamente 5% da área coberta pela floresta amazônica.

A causa desse fenômeno é a queda na quantidade de oxigênio

dissolvido na água. Sem oxigênio, os peixes e outros animais desaparecem. É um fenômeno semelhante ao que ocorre de forma aguda na lagoa Rodrigo de Freitas quando milhares de peixes aparecem mortos, asfixiados pela falta de oxigênio.

A diminuição da quantidade de oxigênio é desencadeada pelo aumento na quantidade de nutrientes nas regiões costeiras. Essa abundância provoca um aumento rápido dos organismos que utilizam nutrientes, luz e gás carbônico. Num primeiro momento, esse crescimento no número de organismos capazes de fazer fotossíntese atrai outros animais, mas logo a água se turva com o excesso de algas e bactérias e, sem luz, eles morrem. Os cadáveres se acumulam no fundo do mar e permitem a multiplicação de organismos que consomem oxigênio para degradar a matéria orgânica acumulada. Nessa fase, o oxigênio diminui e desaparecem os peixes e outros animais maiores. Na falta de oxigênio, só sobrevivem os organismos anaeróbicos (que crescem na ausência de oxigênio), os quais produzem uma quantidade crescente de compostos de enxofre, o que acaba por tornar o ambiente inóspito para a maioria dos animais.

A causa primária desse fenômeno é o uso excessivo de adubos químicos, principalmente compostos nitrogenados, que são carregados pelos rios até o mar. Na foz do Mississippi, o excesso de adubo utilizado no cultivo de milho faz com que a zona morta atinja 15 mil quilômetros quadrados. Entre 1973 e 1990, uma zona morta de 40 mil quilômetros quadrados surgiu no mar Negro em consequência dos subsídios ao uso de adubos químicos na União Soviética. Com o fim dos subsídios e a redução na quantidade de adubo utilizada, essa zona morta desapareceu.

Embora escapem aos olhos e com isso não sejam sentidas pelo coração de cada um de nós, as zonas mortas não são menos importantes que o desmatamento da floresta amazônica. Na realidade, esse é mais um problema a ser enfrentado à medida que nos preparamos para dobrar a produção de alimentos. É bom lembrar que nos próximos cinquenta anos o número de bocas a ser alimentadas no planeta vai dobrar. Como sustentar essas pessoas preservando a Amazônia e os oceanos é um dos desafios tecnológicos a ser enfrentado por uma nova geração de agrônomos e ecólogos.

Mais informações em: "Spreading of dead zones and consequences for marine ecosystems". Science, *vol. 321, p. 926, 2008.*

5. Corredor ecológico: quando dois e dois são cinco

Imagine que você é um sapo e vive em um pântano. Aí vem o homem e constrói uma rodovia, dividindo o local. Se você tentar passar da sua metade para a outra, o risco de ser atropelado é alto. O resultado é que a estrada, apesar de quase não alterar a área total, criou dois pântanos isolados.

Há muito tempo os ecólogos observaram que, quando o tamanho de um ecossistema é reduzido, ele se torna mais frágil e corre um risco maior de se desestabilizar. Há muitas razões teóricas para isso, como a diminuição da população capaz de trocar genes entre si. É o caso do nosso sapo no pântano, que agora só pode se casar com a metade das fêmeas a que tinha acesso antes da infeliz estrada.

Para reduzir o impacto ambiental de projetos como esse, há muitos anos se exige a construção de um corredor entre as duas metades do ecossistema original. No caso, haveria uma ponte para que a estrada passasse por cima e os animais por baixo.

Por incrível que pareça, somente depois de um estudo experimental controlado, feito nas reservas florestais da costa leste dos

Estados Unidos, é que se pôde demonstrar o efeito benéfico desses corredores ecológicos, comprovando como eles são de fato capazes de aumentar a biodiversidade.

Os pesquisadores abriram clareiras do tamanho de um quarteirão (de aproximadamente cem por cem metros) no meio da floresta nativa. Algumas clareiras permaneceram isoladas, outras ficaram ligadas entre si por finos corredores desmatados. Os pesquisadores produziram uma grande combinação de áreas desmatadas, todas do mesmo tamanho, mas algumas ligadas entre si.

Após o desmatamento, que foi feito simultaneamente em todas as áreas, os pesquisadores mediram, ao longo dos anos, o retorno das espécies em cada clareira. Todos os anos, entre 2001 e 2005, foi feito um levantamento das espécies que já haviam colonizado cada clareira. O que se observou é que ao longo desse período muitas espécies recolonizaram as áreas desmatadas, mas nas áreas conectadas por corredores o número de espécies diferentes (a biodiversidade) era maior que nas áreas desconectadas. Além disso, a diferença entre o número de espécies nas áreas conectadas e não conectadas foi aumentando com o passar dos anos, demonstrando que a presença dos corredores realmente contribui para o aumento da biodiversidade.

Esse resultado é importante para o manejo de regiões como o interior de São Paulo, onde a agricultura substituiu grandes extensões de floresta nativa. No estado de São Paulo, o que sobrevive são ilhas de florestas cercadas por terras plantadas. O estudo demonstra que se as reservas naturais fossem ligadas entre si, uma maior quantidade da biodiversidade remanescente poderia ser preservada. No nosso caso, os corredores podem ser as matas preservadas na beira dos rios que unem as áreas de preservação ou corredores de florestas.

Existe uma organização não governamental que tem como objetivo interligar, com corredores, as poucas áreas de florestas nativas existentes em São Paulo. Investimentos como esses são um caso típico em que dois e dois são cinco: duas áreas conectadas valem mais que as mesmas áreas isoladas.

Mais informações em: "Corridors increase plant species richness at large scales". Science, *vol. 313, p. 1284, 2006.*

6. O sucesso dos laupalas no Havaí

A extinção é o destino de todas as espécies. A análise dos fósseis demonstra que as espécies que habitam nosso planeta representam uma pequena fração das que aqui já existiram. Por esse motivo, a diversidade de seres vivos é determinada pelo balanço entre o número de espécies que surgem e o das que se extinguem. O mito de o mundo haver sido criado, de uma só vez, em sete dias e as listas de espécies em vias de extinção nos fazem esquecer que existe um número desconhecido de novas espécies surgindo a cada ano no planeta. Mas quantas são elas? O estudo da evolução dos laupalas, um grupo de gafanhotos do Havaí, mostra, grosso modo, a magnitude dos números envolvidos nesse processo.

Os laupalas são um grupo de gafanhotos composto de 26 espécies e de centenas de raças espalhadas pelas cinco principais ilhas do Havaí. Para estimar a velocidade com que novas espécies surgem, pesquisadores compararam sequências de DNA de cada uma das populações existentes no Havaí. Como o grau de diferença entre as sequências de DNA de duas populações é a medida do tempo transcorrido desde que as populações se separaram, uma diferença maior significa que a separação ocorreu num passado distante, enquanto uma diferença menor significa que a separação ocorreu num passado recente. Por meio de registros fósseis, pode-se determinar a data em que duas espécies divergiram, o que torna possível relacionar o grau de diferença nas sequências de DNA com o tempo transcorrido desde a separação das espécies. A escala de tempo resultante desses estudos permite afirmar, por exemplo, que 1% de diferença na sequência do DNA corresponde a 100 mil anos e que duas espécies com 3% de diferença se separaram há 300 mil anos.

Uma árvore genealógica dos laupalas desenhada com esse método permitiu determinar quando cada espécie surgiu e quantas espécies surgiram ao longo do tempo. A conclusão é que os laupalas estão em segundo lugar em número de espécies geradas por unidade de tempo. Mais rápidos que os laupalas, só um grupo de peixes africanos. A taxa de geração de novas espécies entre os laupalas é dez vezes maior que em qualquer outra já determinada. Quanto tempo você acha que esse grupo leva para gerar uma nova espécie? Um, dez, cem anos? A resposta é, aproximadamente, 250 mil anos — isso mesmo, quatro espécies a cada 1 milhão de anos. Mas cuidado: esse é um número enganoso. Embora um gênero demore muito tempo para gerar uma nova espécie, o número total de espécies que surgem no planeta a cada ano, apesar de desconhecido, é provavelmente da ordem de dezenas. Isso porque existem centenas de milhares de populações espalhadas por todo o planeta, cada uma evoluindo e gerando novas espécies.

O estarrecedor é que desconhecemos o número de espécies existentes no planeta (estima-se entre 5 milhões e 50 milhões); só somos capazes de imaginar quantas espécies são criadas e extintas todos os anos. Mesmo reconhecendo nossa ignorância, destruímos, ano após ano, ambientes com milhares de espécies desconhecidas. É possível que em algum desses ambientes estejam surgindo hoje espécies que um dia vão substituir o homem na superfície da Terra.

Mais detalhes: "Rapid speciation in an arthropod". Nature, *vol. 433, p. 375, 2005.*

7. A verdadeira solidão

Para quem concorda com Sartre que o inferno são os outros, a solidão pode parecer um paraíso. A verdade, porém, é que nenhum ser vivo é realmente solitário. Os leopardos, que vivem isolados, pois só conseguem conviver com uma fêmea durante o breve tempo necessário para o acasalamento, passam a vida cercados de outros seres vivos. Todos os dias o leopardo interage com milhares deles. O felino pisa na grama, sobe nas árvores, convive com suas vítimas e com as moscas. Mesmo os mais solitários dos seres vivos frequentam ambientes de alta biodiversidade e, desse ponto de vista, estão longe da solidão absoluta. A grande novidade é que há pouco tempo foi descoberto um ser vivo que vive absolutamente sozinho em seu ecossistema. Nenhum outro ser vivo é capaz de sobreviver onde ele vive. É o primeiro ecossistema conhecido constituído por uma única espécie.

Um grupo de cientistas coletou 5600 litros de água de uma fenda localizada a mais de 2800 metros de profundidade no fundo da mina de ouro de Mponeng, na África do Sul. Nessa profundidade, a temperatura da água é de 60°C e não existe oxigênio ou luz. A água foi filtrada, e todo o DNA presente nos seres vivos ali coletados foi sequenciado. Para a surpresa dos pesquisadores, descobriu-se que todo o DNA presente no fundo da mina pertencia ao genoma de uma única espécie de bactéria. O mesmo experimento, se realizado com a água de um lago, origina centenas ou milhares de genomas distintos.

A sequência completa do genoma dessa bactéria foi determinada, e sua análise forneceu pistas importantes sobre como ela sobrevive no interior do planeta. A *D. audaxviator* é capaz de sintetizar absolutamente todas as moléculas de que necessita. Isso porque não existem outros seres vivos dos quais ela possa se alimentar (nós, por exemplo, como não sintetizamos vitaminas, suprimos nossas necessidades ingerindo outros seres vivos). É interessante que a *D. audaxviator* não possui mecanismos de defesa contra vírus ou bactérias, o que é compreensível, uma vez que tais mecanismos são desnecessários em um ambiente em que não existem outros seres vivos (na prática, essas bactérias não apodrecem quando morrem, pois no seu *habitat* não existem seres vivos responsáveis pela decomposição dos cadáveres). E, por viverem num ambiente sem luz e oxigênio, utilizam moléculas de água partidas pela radioatividade do urânio existente na mina, a fim de obter os íons necessários para reduzir o enxofre e obter energia. A quantidade de nutrientes nessas amostras de água é tão baixa que essas bactérias demoram entre cem e mil anos para se dividirem uma única vez (uma bactéria em nosso intestino se divide a cada trinta minutos).

Através da análise do genoma dessa bactéria, puderam-se deduzir dezenas de outras peculiaridades, que geraram uma vasta quantidade de informações sobre o que significa viver na mais absoluta solidão. É estranho imaginar a vida em um ambiente absolutamente estável e isolado, em que não há a ameaça de outros seres vivos, em condições nas quais é possível levar cem anos para se dividir sem correr o risco de apodrecer ou ser atacado. Uma vida autossuficiente, quente e sem luz. A bactéria *D. audaxviator* e seu modo de vida são um bom motivo para refletir sobre quão estranha é a verdadeira solidão biológica.

Mais informações em: "Environmental genomics reveals a single-species ecosystem deep within earth". Science, *vol. 322, p. 275, 2008.*

8. Uma bactéria que não teme o aquecimento global

Se você olhar embaixo de uma pedra, vai encontrar minhocas; se olhar dentro dos rios, encontrará peixes; e, no gelo, pinguins.

O fato de quase todos os ambientes do planeta estarem ocupados por plantas e animais demonstra que a seleção natural produz uma grande diversidade de seres vivos capazes de viver nos mais diversos ambientes.

Apesar de muitos seres vivos escolherem locais estranhos para viver, como no interior de outro ser vivo ou na água acumulada nas folhas das bromélias, talvez nenhum ambiente seja tão exótico como as chaminés existentes no fundo dos oceanos, que são fissuras por onde a lava do interior da Terra vaza continuamente. Recentemente os cientistas conseguiram cultivar em laboratório uma das muitas bactérias que habitam esses verdadeiros "vulcões submarinos", nome pelo qual são conhecidas as chaminés hidrotérmicas.

Nesses locais, muitas vezes a centenas de metros de profundidade, o líquido quente, ácido e desprovido de oxigênio vindo do interior do planeta se mistura com a água fria, alcalina e bem oxigenada dos oceanos. Quando isso ocorre, diversos sais se precipitam ao redor da fenda, formando estruturas porosas semelhantes a chaminés. Dentro delas se forma um gradiente de temperatura e acidez, e em suas paredes, provavelmente nos poros dos sais precipitados, vivem diversos tipos de bactérias.

Embora as chaminés tenham sido descobertas em 1977, devido às dificuldades de coletar amostras só há poucas décadas descobriu-se a existência de seres vivos nesse ambiente. Foi uma surpresa encontrar bactérias capazes de viver em temperaturas superiores a 70°C, quando a maioria das formas de vida não costuma sobreviver em temperaturas superiores a 50°C. O que até hoje impedia um estudo detalhado desses seres era a dificuldade de reproduzir em laboratório as condições necessárias para sua sobrevivência.

Com base em amostras coletadas em uma chaminé perto das ilhas Fiji, no oceano Pacífico, uma equipe de cientistas conseguiu isolar e cultivar uma dessas bactérias e a batizou de *Aciduliprofundum boonei*. Ela cresce em temperaturas superiores a 50°C e deixa de crescer quando a temperatura atinge 77°C. Prefere ambientes ácidos, com pH por volta de 4,5, e em vez de oxigênio utiliza enxofre ou ferro como receptor de elétrons em seu metabolismo.

As enzimas que existem na *A. boonei*, por funcionarem em altas temperaturas e, portanto, agirem mais rapidamente, têm potencial para revolucionar os processos industriais, aumentando sua eficiência e velocidade. É interessante que, quase 200 mil anos depois de nossos ancestrais terem buscado na biodiversidade os cereais que permitiram o surgimento da agricultura, continuamos a descobrir seres vivos úteis ao desenvolvimento de nossas tecnologias.

Se um dia o homem vier a provocar um aquecimento global

de uma magnitude que venha a causar o extermínio de todas as formas de vida incapazes de sobreviver em temperaturas superiores a 50°C, podemos estar certos de que a vida não desaparecerá da face da Terra. Os descendentes da *A. boonei* estarão prontos para recolonizar o planeta.

Mais informações: "A ubiquitous thermoacidophilic archeon from deep-sea hydrothermal vents". Nature, *vol. 442, p. 444, 2006.*

9. Um cientista que sabia o que medir

Raros são os cientistas que se dedicam a medir um único fenômeno. Mais raros ainda são aqueles que alteram o comportamento da humanidade com suas medições. O norte-americano Charles D. Keeling passou a vida medindo a quantidade de gás carbônico existente na atmosfera. Foram suas medições que demonstraram que a quantidade de gás carbônico está aumentando na atmosfera. Essas medidas iniciaram as investigações sobre mudanças climáticas.

Em 1958, muito antes do surgimento dos movimentos ecológicos, Keeling desconfiou que o gás carbônico (CO_2) produzido pela queima de petróleo talvez estivesse se acumulando na atmosfera. Decidiu medir como variava a concentração de CO_2. Para realizar suas medidas, escolheu o topo de uma montanha no Havaí, longe das grandes fontes de emissão de CO_2, instalando no pico do Mauna Loa um aparelho capaz de medir continuamente a quantidade de CO_2 na atmosfera. Em 1958, existiam 316 partes de CO_2 na atmosfera para cada milhão de partes de gases. Durante os primeiros anos, Keeling descobriu que a quantidade de CO_2

aumentava no inverno e diminuía no verão, como reflexo da atividade das plantas, cuja fotossíntese depende da temperatura e da quantidade de luz.

A curva parecia uma montanha-russa. Foram mais de dez anos de medições contínuas até se descobrir que a montanha-russa, na verdade, apresentava a cada ano um pico um pouco mais alto que no ano anterior. Finalmente foi possível demonstrar que o CO_2 estava de fato aumentando. Entre 1958 e 2002, os níveis de CO_2 na atmosfera cresceram 17%.

Os resultados de Keeling formam a base para toda a discussão sobre o efeito estufa e o aquecimento global. Apesar de ainda haver discórdia sobre como os níveis de CO_2 influenciam o clima, o degelo das calotas polares e o aumento do nível dos oceanos, a veracidade dos dados de Keeling jamais foi posta em dúvida.

Na última década, a hipótese de Keeling ficou comprovada através da análise da quantidade de CO_2 presente em bolhas de ar retidas no gelo polar. Os cientistas analisaram bolhas retidas no gelo há centenas de anos e determinaram a quantidade de CO_2 que existia na atmosfera antes de o homem começar a queimar petróleo. O gelo dos furos feitos no Ártico revelou que durante centenas de anos a concentração de CO_2 permaneceu inalterada, só começando a aumentar a partir do fim do século XIX. A intuição de Keeling, portanto, estava correta: o homem realmente está modificando a atmosfera terrestre.

A maioria das destruições observadas no meio ambiente é constituída de fenômenos locais que ocorrem em um período de tempo relativamente curto. É o caso do desmatamento da Amazônia, da poluição de um rio ou da mudança da qualidade do ar em uma cidade. Mas o que realmente põe em risco a sobrevivência do homem são os fenômenos globais, que ocorrem ao longo de décadas e são difíceis de reverter. Com a medição da quantidade de gás carbônico acumulada na atmosfera, Keeling foi o primeiro cientista a identificar de maneira incontestável um desses fenômenos.

Ele provavelmente foi um homem realizado, pois viveu tempo suficiente para ver a maioria dos países assumir o compromisso de combater o aumento do CO_2. Mas deve ter morrido decepcionado, pois seu país, os Estados Unidos, o maior consumidor mundial de petróleo, recusou-se a assinar o Protocolo de Quioto.

Mais informações: http://cdiac.ornl.gov/new/keel_page.html.

10. Em defesa do CO_2

O aquecimento global desencadeou um processo de difamação da molécula de CO_2 (o gás carbônico). Já a minha defesa do gás carbônico foi desencadeada pela afirmação de um motorista de táxi. Se dependesse dele, o CO_2 deveria ser proibido de forma definitiva no Brasil. Enquanto eu refletia sobre o estado deplorável da educação no Brasil, me lembrei da decisão polêmica da Suprema Corte dos Estados Unidos. No início de 2008, ela autorizou o EPA (Environmental Protection Agency), o Ibama dos Estados Unidos, a regulamentar as emissões de gás carbônico. Essa foi a primeira vez que uma agência governamental ganhou poderes para regular uma molécula essencial para a vida no planeta. Sonhei com o Ibama exigindo um estudo de impacto ambiental para cada projeto que emitisse gás carbônico no Brasil. No sonho, casais chegam à maternidade e o parto só é autorizado se apresentarem um estudo do impacto ambiental causado pelo filho que vai nascer. Antevendo que uma ONG acabe por convencer algum deputado a conceder a mesma autoridade ao Ibama, aqui vai uma defesa do CO_2.

Não existe animal que não emita CO_2. Viver é emitir gás carbônico. Isso porque os animais obtêm a energia necessária para viver oxidando moléculas que contêm carbono. O açúcar e as gorduras que ingerimos nas refeições contêm átomos de carbono reduzidos (aqueles não ligados a átomos de oxigênio). Nosso corpo oxida esses átomos de carbono e finalmente os libera na forma de gás carbônico. Não tem solução: a cada respirada liberamos gás carbônico na atmosfera.

Enquanto os animais necessitam liberar gás carbônico para viver, as plantas necessitam consumir essa molécula para crescer. Retire todo o gás carbônico da atmosfera e as plantas desaparecem do planeta. Para crescer, elas utilizam o gás carbônico da atmosfera, a água do solo e a luz do sol para transformar os carbonos oxidados do gás carbônico nos carbonos reduzidos presentes na sacarose da cana-de-açúcar e no óleo da soja. O ciclo do carbono apenas se fecha quando os animais se alimentam dos vegetais e novamente liberam gás carbônico na atmosfera.

Dada a importância do gás carbônico para a vida no planeta, é fácil entender os problemas éticos que dominaram as discussões na Suprema Corte americana. Em última análise, a medida permitiu ao Estado americano regular a produção de uma molécula que tem um papel central na manutenção da vida no planeta. No passado, o EPA tinha apenas o poder de legislar sobre poluentes, moléculas produzidas pelo homem e nocivas ao ecossistema. Agora o CO_2 foi colocado nessa lista, num lugar até então destinado aos combustíveis fósseis.

É importante que se divulgue e se explique o ciclo do carbono, para que não ocorra com o CO_2 o que ocorreu com o DNA. As campanhas contra a biotecnologia de tal maneira difamaram a molécula de DNA que a grande maioria dos europeus, quando indagada se comeria DNA, afirmou que jamais aceitaria alimentos que contivessem DNA. Mal sabem eles que ingerem enormes quantidades de DNA todos os dias. O medo do DNA substituiu o medo dos agrotóxicos.

A culpa pelo aquecimento global não é de uma ou outra molécula, mas do homem, que retirou grandes quantidades de carbono reduzido do subsolo (petróleo) e o liberou na atmosfera na forma de CO_2. Jogar a culpa no CO_2 é desinformação ou manipulação: transfere a culpa dos combustíveis fósseis para um inocente CO_2.

11. O clima dos últimos 650 mil anos

Nosso planeta está esquentando e muitos acreditam que isso se deve à queima de combustíveis fósseis. Por outro lado, é possível que a Terra esteja simplesmente passando por um ciclo natural de aquecimento. Uma possível solução para esse dilema vem de um experimento no qual se pôde determinar a variação da quantidade de CO_2 e da temperatura da atmosfera nos últimos 650 mil anos.

A neve sequestra amostras da atmosfera em que se formaram pequenas bolhas de ar. Essas bolhas de ar ficam preservadas na estrutura do gelo. A cada ano, surge uma nova camada de gelo na Antártida contendo amostras do ar daquele ano. Coletando essas camadas de gelo, teoricamente é possível reconstituir as alterações ocorridas na atmosfera ao longo dos anos. Para tanto, basta fazer um poço e retirar o gelo do buraco. A primeira camada corresponde à neve de 2004, a segunda à de 2003, e assim por diante.

Um grupo de cientistas realizou um estudo desse tipo em uma região da Antártida chamada Dome Concórdia. O poço foi construído no topo de uma cordilheira de gelo de 3200 metros de altura. Para recolher o gelo acumulado ali nos últimos 650 mil anos, foi necessário fazer um furo de 3 mil metros de profundidade. Uma operação difícil, pois é necessário cavar o poço em uma das regiões mais frias do planeta. Além disso, cada naco de gelo retirado teve de ser cuidadosamente preservado.

O ar preso nas bolhas das camadas de gelo foi analisado. Primeiro mediu-se a concentração de CO_2 no ar das bolhas, depois a razão entre o deutério e o hidrogênio, o que permitiu calcular a temperatura do ar no ano em que ele foi sequestrado. O resultado final originou um gráfico que mostra como variaram a quantidade de CO_2 e a temperatura do ar ao longo dos últimos 650 mil anos.

Esse gráfico permite várias conclusões. O perfil obtido no Dome Concórdia confirma os dados de outro perfil, obtido na estação de Vostok. Os dois perfis demonstram a existência de ciclos de aquecimento e resfriamento com duração de 100 mil anos. Durante cada ciclo, a atmosfera esquenta e esfria, acompanhando o aumento e a diminuição da quantidade de CO_2. Também se observou que em nenhum dos seis ciclos que cobrem os 650 mil anos a quantidade de CO_2 passou de 300 ppm (partes por milhão), variando de 190 a 300 ppm. O último ciclo, iniciado há 25 mil anos com baixas temperaturas e 190 ppm de CO_2, estava no seu pico, com 280 ppm de CO_2, no início da Revolução Industrial. A partir de então, a quantidade de CO_2 continuou a aumentar e hoje está em 370 ppm.

São duas as conclusões. Primeira: os níveis atuais de CO_2 na atmosfera são os mais altos dos últimos 650 mil anos. Segunda: esses níveis foram atingidos após iniciarmos a queima de combustíveis fósseis, o que ocorreu exatamente quando a atmosfera já estava na sua temperatura máxima. Esses resultados reforçam a teoria que responsabiliza a queima de combustíveis fósseis pelo aquecimento global.

Nas últimas seis vezes em que houve um aumento de CO_2, um mecanismo ainda desconhecido reverteu o aquecimento. Vamos torcer para que esse mecanismo ainda esteja em ação, porque no ritmo em que a humanidade vem queimando petróleo, e dada a resistência mostrada por diversos países em reduzir suas emissões de CO_2, só nos resta pagar para ver.

Mais informações: "Stable carbon-cycle climate relationship during the late Pleistocene". Science, *vol. 310, p. 1313, 2005.*

12. Combustíveis fósseis podem matar oceanos

Imagine que o homem nunca tivesse derramado uma gota de petróleo no oceano. Apesar de as fotos de pássaros embebidos em óleo serem as imagens que nos vêm à mente quando imaginamos o efeito do petróleo sobre a vida marinha, hoje sabemos que esses desastres ecológicos não constituem a maior ameaça. O verdadeiro perigo é invisível, impossível de fotografar, mas fácil de medir: é o aumento da acidez dos oceanos. Faz décadas foi demonstrado que a queima de combustíveis fósseis provoca o aumento de gás carbônico na atmosfera, faz apenas poucos anos que os cientistas desconfiam que esse aumento possa estar acidificando os oceanos.

A ciência por trás desse efeito é simples. Se você coloca gotas de fenolftaleína em um copo d'água, ela se torna ligeiramente rósea (a fenolftaleína é um indicador de acidez que já foi usado como laxante). Em seguida, você assopra a água com um canudo, fazendo bolhas. Aos poucos, a água vai se tornando incolor, sinal de sua acidificação. O que acontece é que o gás carbônico (CO_2) expelido por nossos pulmões reage com a água e forma ácido carbônico, que por sua vez acidifica a água, mudando a cor da fenolftaleína. Isso é o que os cientistas acreditam estar acontecendo nos oceanos.

Desde que, em 1850, começamos a queimar petróleo, a concentração de CO_2 na atmosfera vem crescendo, e com isso mais CO_2 se dissolve nos mares, aumentando sua acidez. Em 1800, o pH dos mares era 8,16. Hoje é de 8,05 e pode chegar a 7,9 no final do século. Isso significa que em trezentos anos a acidez vai quase dobrar.

O que os cientistas investigam é como o aumento da acidez afeta os seres vivos que habitam os oceanos. Provavelmente os mais afetados são os que têm carbonato de cálcio em seu esqueleto, como as conchas, os corais, os ouriços e outros seres microscópicos. A razão é simples. Se você já examinou o interior de um tubo de água antigo, deve ter observado que ao longo dos anos ali se acumula um precipitado branco. É o carbonato de cálcio, uma das substâncias que compõem os esqueletos desses animais. Para remover o carbonato do tubo, basta lavá-lo com uma mistura de água e vinagre, já que o carbonato é facilmente dissolvido no meio ácido criado pelo vinagre.

Os cientistas acreditam que a acidificação dos oceanos provoca um efeito parecido nos animais. Mesmo um pequeno aumento da acidez pode dissolver parte dos esqueletos dos animais ou dificultar sua formação. Esse fenômeno, ao longo dos séculos, levaria à extinção uma grande parte da biodiversidade marinha.

Parece não haver dúvida de que a acidificação dos oceanos está ocorrendo; o que não se sabe ao certo é se o grau em que isso se dá é suficiente para pôr em risco a sobrevivência dos animais. Os cientistas do Painel Internacional de Mudanças Climáticas sinalizaram que a acidificação dos oceanos é uma de suas principais preocupações.

Se você usa etanol em vez de gasolina e cada vez que enche o tanque se sente satisfeito por estar combatendo o aquecimento global, tem um segundo motivo para se sentir bem: utilizando energias renováveis, você também está ajudando a preservar os recifes de coral.

Mais informações: "Sick Seas". Nature, *vol. 442, p. 978, 2006.*

13. Lista de espécies ameaçadas pode ajudar extinção

Que o homem tem um papel importante na extinção de espécies ninguém duvida, mas as diversas maneiras como acabamos contribuindo para essa extinção estão longe de ser conhecidas. Recentemente alguns ecólogos divulgaram um novo mecanismo através do qual aceleramos, de forma indireta, a extinção de espécies — o "efeito Allee antropogênico". O mais curioso é que parte desse efeito é causada justamente pelos movimentos ambientalistas.

O homem caça animais em virtude de seu valor — caso da procura por peles de onça para a fabricação de casacos. No início, o lucro do caçador era certo, as onças abundavam e o valor da pele era alto. Mas, à medida que o extermínio avançou, as onças foram rareando e o custo da matança de onças cresceu. Teoricamente, existe um ponto em que o caçador não se sente mais estimulado financeiramente, a caça portanto diminui e a população de onças, então, deveria se estabilizar. Algumas vezes, porém, isso não ocorre, e mesmo após encerrado o extermínio o número de animais continua a diminuir por conta do efeito Allee. O que ocorre nesses casos é que existem fenômenos relacionados à reprodução dos seres vivos que dependem de uma população mínima para ocorrer. Imagine se restarem somente cinquenta onças. Elas terão dificuldades em se encontrar para o acasalamento, fato que, por si só, poderá levar à extinção da espécie. Quando uma espécie atinge uma densidade mínima de indivíduos, ela entra em uma espiral que a leva inexoravelmente à extinção. Foi o que ocorreu com os tigres-da-tasmânia, que foram desaparecendo aos poucos mesmo após sua caça ter sido eliminada.

O que se descobriu não muito tempo atrás é que o fato de uma espécie constar de uma lista de ameaçadas de extinção pode levar o homem a agir de uma forma que provoque sua extinção. Um exemplo é o *Leucopsar rothschildi*, um pássaro de Bali. Em 1970 ele foi colocado na lista das espécies ameaçadas, o que fez seu preço aumentar rapidamente entre os colecionadores. Em 1979, dezenove pássaros foram encontrados nos mercados de Cingapura; em 1982, dezesseis foram comercializados nos mercados de Bali — isso quando se estimava que não houvesse mais que 150 deles na natureza. Hoje só existem seis. No caso do peixe chinês bahaba (*Bahaba taipingensis*), o fato de a espécie ter sido colocada em uma lista de ameaçados de extinção aumentou de tal modo a procura por ela que em meados dos anos 1990 mais de cem barcos dedicavam-se exclusivamente a sua captura, quando antes somente meia dúzia desses peixes era capturada por ano. Esse efeito foi chamado de "efeito Allee antropogênico" porque, como os demais efeitos Allee, este somente passa a atuar quando uma espécie fica à beira da extinção. É antropogênico por ser causado pelo homem, que dissemina aos quatro ventos que a espécie está ameaçada, aumentando a procura pelos animais.

A constatação desse fenômeno tem levado ambientalistas a rediscutir a eficácia da divulgação cada vez mais ampla de listas de espécies em perigo de extinção, com fotos, locais em que ocorrem e seus hábitos de vida. Muitas dessas listas não só aumentam a procura de colecionadores por esses animais como são verdadeiros guias para caçadores ilegais. Com a crença inocente de que todos desejam preservar espécies ameaçadas, os movimentos ambientalistas podem estar garantindo o extermínio dos últimos exemplares de algumas espécies.

Mais informações: "Rarity bites". Nature, *vol. 444, p. 555, 2006.*

14. Brincando de Deus

É fato: 99,9% de todas as espécies de plantas e animais que já habitaram nosso planeta estão extintas. Isso mesmo, de cada mil espécies que já viveram na Terra, somente uma ainda está entre nós. A biodiversidade entre as espécies extintas é centenas de vezes maior que a biodiversidade atual. Isso significa que o destino de todas as espécies é a extinção. Aceitar essa realidade é desagradável, mas permite uma melhor compreensão do nosso lugar na história do planeta.

Esse fato já era conhecido por Darwin em 1859, quando ele publicou *A origem das espécies*. Quando, no século XVII, os paleontólogos começaram a estudar de maneira sistemática as camadas de fósseis, encontraram uma diversidade enorme de animais extintos, a grande maioria sem nenhuma correspondência com os seres vivos existentes. Milhares de dinossauros não deixaram descendentes, e mesmo entre as linhagens que deixaram descendentes diretos, como os cavalos ou os humanos, o número de "parentes" extintos é dezenas de vezes maior que o número de espécies sobreviventes. A conclusão é que a biodiversidade entre as espécies extintas é muito maior que a existente entre as espécies vivas. Desde o século XIX, muito antes de a ecologia surgir como disciplina, todo naturalista sabia que o destino final das espécies é a extinção.

Apesar de nos preocuparmos com o destino do mico-leão-dourado e condenarmos a devastação da Amazônia, a realidade é que o desaparecimento de espécies é condição necessária para que novas espécies se espalhem pelo planeta. Os cientistas acreditam que a extinção dos dinossauros permitiu que os mamíferos se espalhassem na Terra. Antes de nós, muitas espécies bem-sucedidas causaram tamanho estrago no ambiente em que viviam que terminaram por inviabilizar sua existência. Puni-las com a extinção faz parte do processo de seleção natural. Se o processo de extinção faz parte do processo natural de reposição da vida na Terra, então devemos nos perguntar se é "biologicamente ético" o homem tentar controlar a destruição que ele mesmo vem causando no planeta.

Foi a seleção natural que ao longo do último milhão de anos "criou" o homem. Agora, neste início do século XXI, esse animal, do alto de seu egocentrismo, decidiu controlar o processo de seleção natural, impedindo espécies de se extinguir e tentando controlar a maneira como modifica o meio ambiente. É difícil prever se teremos sucesso, mas a arrogância da nossa espécie é notável. Para quem não acredita que o destino do ser humano depende de um determinismo divino, interferir no processo de nossa própria seleção natural talvez seja a atividade humana que mais se assemelha ao que classificamos como "brincar de Deus".

Muitos pessimistas acreditam que não será uma minoria de pessoas preocupadas com o meio ambiente que vai mudar o comportamento predatório do bicho homem. Se for verdade, então o processo que determinará nossa extinção já começou.

Mas, visto assim de tão longe, o desaparecimento da raça

humana não deve nos entristecer, pois ele permitirá que novos e melhores seres vivos tomem nosso lugar no planeta. Deixaremos de pertencer à minoria das espécies vivas e passaremos a ocupar lugar entre as espécies extintas. Para quem tem filhos e netos, o único consolo é que o último ser humano a se extinguir ainda não nasceu.

15. Como proteger o ecossistema de Marte

Um dos meus hobbies é admirar a enorme diversidade de assuntos que preocupa os cientistas. Muitos dos problemas investigados podem até parecer irrelevantes. Por exemplo, qual a importância de se medir a flutuação diária da temperatura anal de uma anta? A realidade, no entanto, é que preocupações aparentemente irrelevantes muitas vezes originam descobertas significativas. Foi investigando por que umas poucas estrelas não se movimentam da mesma maneira que todas as outras que os astrônomos descobriram os planetas e o sistema solar. Intrigado com as pequenas diferenças no formato dos bicos dos pássaros, Darwin acabou descobrindo os mecanismos da evolução das espécies.

Foi em uma dessas incursões pela diversidade da comunidade científica que deparei com o debate sobre as consequências éticas de contaminarmos Marte com seres vivos terrestres. Imagine que no futuro distante os primeiros biólogos a pousar em Marte descubram que os seres vivos presentes no planeta sejam descendentes de organismos vindos da Terra. E, pior, que esses organismos tenham aniquilado as formas de vida que existiam em

Marte. Seria triste descobrir que os primeiros seres extraterrestres descobertos fora da Terra foram exterminados por micróbios vindos da Terra.

Foi para evitar essa possibilidade que, em 1967, um acordo internacional obrigou os países participantes do programa espacial a esterilizarem as sondas espaciais enviadas à Lua e a outros planetas. As naves *Viking* que pousaram em Marte em 1976 foram esterilizadas antes de partir. Quando se descobriu que a quantidade de radiação ultravioleta na superfície de Marte é suficiente para matar qualquer ser vivo terrestre, essa regra foi alterada. As naves *Spirit* e *Opportunity*, por não terem sido esterilizadas antes do lançamento, levaram para Marte centenas de milhares de bactérias terrestres. Essas mesmas naves descobriram que existe água em Marte. Agora os cientistas acreditam que as carcaças dessas naves podem proteger os micro-organismos terrestres da radiação ultravioleta. Ou, pior, temem que as sondas que perfuraram o solo do planeta poderiam "plantar" as bactérias no subsolo, em local protegido dos raios solares. Enfim, há a suspeita de que pode existir uma possibilidade remota, muito remota, de formas de vida terrestre sobreviverem em Marte.

É claro que esse argumento contém uma série enorme de "se isso" e "se aquilo", mas seria realmente uma pena que a ação irresponsável do *Homo sapiens* provocasse a extinção de formas de vida que se originaram fora do planeta Terra.

Preocupados com a possibilidade de isso vir a acontecer, diversos cientistas organizaram uma reunião em que se discutirá a responsabilidade ética dos seres humanos com o ecossistema de Marte e com os possíveis seres vivos que existam no planeta (é bom lembrar que nenhuma forma de vida foi descoberta até agora). A proposta é estabelecer normas semelhantes às acordadas pelo Comitê Internacional de Pesquisa Espacial (Cospar) em 1967. Essas novas regras teriam a função de garantir que qualquer exploração espacial seja biologicamente reversível, isto é, que não traga riscos de se introduzirem de forma permanente seres terrestres nos ambientes que estão sendo explorados. Com tantos problemas urgentes no planeta Terra, é admirável que existam pessoas com essa consciência ecológica interplanetária.

Mais informações: "Biologically reversible exploration". Science, *vol. 323, p. 718, 2009.*

II. FLORESTAS

1. Desmatamento em Ariquemes

Se você tem estômago forte para sentir o verdadeiro horror, aquele definido pelo *Dicionário Houaiss* como "forte impressão de repulsa ou desagrado, acompanhada ou não de arrepio, gerada pela percepção, intuição, lembrança de algo horrendo, ameaçador, repugnante", submeta sua mente ao seguinte experimento.

Instale a última versão do Google Earth em seu computador (http://earth.google.com). Inicie o programa e na caixa de pesquisa denominada "voar para" digite "Ariquemes, Brazil". Você será levado a essa pequena cidade de Rondônia. Assegure-se de que seu ponto de visão está a cem quilômetros de altitude (isso pode ser verificado no canto inferior da tela). Se você estiver mais baixo ou mais alto, regule a altitude usando o comando que aparece do lado direito da tela. Agora procure o botão com o desenho de um relógio no menu e ative o comando chamado "imagens históricas". Aparecerá uma pequena janela que lhe permite mudar a foto de satélite que cobre essa região. Pronto, você está preparado para começar o experimento.

Leve o comando para a primeira foto disponível, de 18 de

junho de 1975. Você vai ver a cidade de Ariquemes cercada pela floresta intocada. Vá para a próxima imagem: 7 de julho de 1989. Observe que, catorze anos depois, foram abertas duas estradas que se dirigem ao sul e uma para o norte de Ariquemes. Dessas estradas partem estradas paralelas na direção leste/oeste, distanciadas exatos cinco quilômetros uma da outra. À margem de cada estrada, centenas de áreas de desmatamento, quadrados de quinhentos metros de lado (cada um equivale a 25 quarteirões de São Paulo). Quase 15% da mata foi derrubada. O Garimpo Bom Futuro pode ser visto cercado de mata 58 quilômetros a oeste de Ariquemes. Agora vá para a imagem seguinte, a de 18 de setembro de 2001 (mais doze anos se passaram). Os quadrados desmatados se transformaram em retângulos de quinhentos por 1500 metros. Mais de metade da mata provavelmente se foi. A cidade cresceu. O garimpo está cercado por uma área totalmente desmatada. Agora caminhe mais sete anos, até a imagem de 27 de julho de 2008. É sua vez de tentar descrevê-la: quanto de mata você estima que sobrou nesse quadrado de cem por cem quilômetros? Quer saber quanto é cem por cem quilômetros? Tente se colocar sobre São Paulo com seu ponto de visão a uma altitude de cem quilômetros. A diagonal do quadrado vai de Jundiaí a Bertioga. São 33 anos entre 1975 e 2008. Como está o seu estômago?

Cada um de nós pode fazer de maneira precária o que o Inpe — Instituto Nacional de Pesquisas Espaciais — faz continuamente: acompanhar a destruição da floresta amazônica através de fotos tiradas por satélites. A diferença entre ler os números no jornal e examinar as fotos é brutal. Mas o bom é que podemos "adotar" uma área da Amazônia. Eu adotei Ariquemes. Será que alguém da Faculdade de Educação e Meio Ambiente de Ariquemes quer ser meu correspondente local? As terras são legalizadas? Existem quantos habitantes, quantas serrarias, qual a fração de habitantes que depende do negócio da madeira para sobreviver? Os quadrados desmatados têm gado? Quantas cabeças? Alguém quer criar uma comunidade virtual dos interessados em Ariquemes?

Que tal incluir esse experimento de horror no currículo escolar? Ele pode integrar as disciplinas de geografia, ecologia, ciências sociais, economia e política. E se cada escola adotar uma área e os alunos tentarem entrar em contato com uma escola de Ariquemes? E se as escolas trocarem experiências em uma grande convenção de monitoramento remoto? Se tudo isso ocorrer, talvez possamos transformar o horror em pressão, em "influência coativa, constrangimento moral".

2. Como secar a floresta amazônica

O que aconteceria se parasse de chover na floresta amazônica durante quatro anos? Apesar de não existir registro histórico de que uma região da Amazônia tenha ficado quatro anos sem chuva, um grupo de cientistas brasileiros e americanos "secou" a floresta e tem a resposta.

O experimento foi feito 67 quilômetros ao sul de Santarém, no Pará, em duas áreas escolhidas de um hectare (um quarteirão de cem por cem metros) — uma seria seca e a outra serviria de controle, ambas delimitadas por uma enorme valeta. Construíram-se 5600 mesas de madeira com tampos de plástico. As mesas foram colocadas lado a lado, embaixo das copas das árvores, de modo a cobrir todo o piso da floresta. Canaletas distribuídas entre as mesas coletavam a água da chuva e a conduziam para as valetas que beiravam a área coberta pelas mesas. Desse modo, mais de 80% da chuva que caía sobre a floresta nunca tocava o solo. Como as tampas das mesas eram transparentes, a luz solar ainda atingia a vegetação rasteira, e as mesas eram viradas de tempos em tempos para garantir que as folhas que caíam das árvores chegassem ao chão. Tudo com o objetivo de preservar o melhor possível o ecossistema do quarteirão.

Para estudar o que ocorria com as árvores, grandes torres de até trinta metros de altura foram construídas e interligadas por cordas, para que os cientistas pudessem passear pela copa das árvores e estudar o efeito da falta de água. Além disso, cavaram-se poços de até onze metros de profundidade no intuito de estudar o que acontecia com as raízes das árvores. Uma vez montadas as duas áreas, foram despendidos mais de quatro anos para comparar o que acontecia com o quarteirão da floresta seca e com o quarteirão que recebia normalmente as chuvas.

A quantidade de dados acumulados é enorme e permite entender o que pode ocorrer quando as mudanças climáticas causadas por fenômenos como o *El Niño* ou o aquecimento global vierem a, eventualmente, afetar o volume pluviométrico da região amazônica.

Durante os três primeiros anos, poucas árvores morreram na área seca, pois elas foram capazes de coletar a água estocada nos quinze primeiros metros de solo. Entretanto, pararam de crescer e reduziram sua taxa de fotossíntese, o que resultou numa diminuição do sequestro de gás carbônico da atmosfera.

Foram descobertos, ainda, alguns truques utilizados pela floresta para sobreviver a longos períodos de estiagem. Durante a noite, as árvores com raízes mais profundas coletam a água e a trazem para a superfície. Durante o dia, as raízes mais próximas da superfície liberam o excesso de água no solo, que é imediatamente aproveitado pelas árvores sem raízes tão profundas, que, desse modo, podem sobreviver por mais tempo. Além disso, descobriu-se que com a falta de água as folhas absorvem um pouco da água da chuva diretamente em suas superfícies, um fenômeno que era pouco conhecido.

Somente após quatro anos de seca, as árvores grandes começam a morrer, e morrem em grande número, demonstrando mais uma vez a fragilidade das florestas tropicais e o cuidado que precisamos ter ao interferir nesse ecossistema. Agora que parte da floresta morreu, as mesas foram retiradas e a segunda fase do experimento se iniciou: o estudo da recuperação de uma floresta após uma grande seca.

Mais informações: "Experimental drought predicts grim future for rainforests". Science, *vol. 308, p. 346, 2005.*

3. Árvores escalam montanhas para fugir do calor

Mesmo quem nunca esteve nos Alpes tem uma ideia de como é o verão nessa região. Os cartões-postais mostram vacas com um sininho no pescoço pastando ao lado de riachos em um vale verdejante. Ao fundo, montanhas com florestas em suas encostas e neve cobrindo os picos. Se você caminhar do interior de um desses vales em direção ao topo da montanha, observará que a vegetação vai se modificando à medida que você sobe. Primeiro, o pasto é substituído pela floresta, depois ela vai se tornando mais rala, até que não se encontram mais árvores. A partir de certa altura, próximo da região coberta de neve, deixa de existir qualquer vegetação.

Essa mudança do tipo de vegetação é bem conhecida dos ecólogos. Como o clima se altera à medida que subimos, diferentes espécies de vegetais ocupam cada nível da montanha. Espécies adaptadas ao frio ficam mais próximas do pico; espécies adaptadas a temperaturas mais altas ficam próximas ao vale. Essa mesma distribuição, que se dá verticalmente em uma montanha, ocorre horizontalmente quando viajamos de uma região tropical em direção aos polos. Próximo aos trópicos, predominam espécies adaptadas ao calor. À medida que nos aproximamos dos círculos polares, encontramos, na mesma altitude, espécies que nas montanhas ocupam a região próxima aos picos nevados. O paralelo é tão claro que nos cursos de ecologia se aprende que um deslocamento vertical de algumas centenas de metros em uma montanha equivale a um deslocamento horizontal de alguns milhares de quilômetros entre os trópicos e os círculos polares.

Nas montanhas europeias esse fenômeno tem sido estudado há mais de cem anos. Conhece-se a altitude preferencial de cada espécie de árvore. Para medir a altitude preferencial, o cientista vai subindo a montanha e medindo a densidade de uma espécie de árvore a cada altitude. A densidade (número de árvores por metro quadrado), que no início é baixa, aumenta, chega ao máximo e finalmente diminui quando a temperatura cai demais. A altitude preferencial é a altitude em que a densidade de árvores é máxima. Medições desse tipo têm sido feitas ao longo dos últimos cem anos para centenas de espécies de árvores, em seis diferentes cadeias de montanhas na Europa ocidental.

Recentemente um grupo de ecólogos reuniu os mais de 28 mil levantamentos desse tipo feitos entre 1905 e 2005 para 160 diferentes espécies de plantas nas seis cordilheiras europeias. Dividiram esses levantamentos em dois grupos, os realizados antes e depois de 1985. Quando esses dois grupos foram comparados, concluiu-se que a altitude preferencial da maioria das espécies se deslocou para altitudes maiores ao longo do século. Todas as árvores "subiram" a montanha. Na média, as árvores subiram trinta metros por década durante o século xx. Os cientistas acreditam que isso ocorreu em virtude do aquecimento global. À medida que a temperatura na Europa aumentou (aproximadamente 0,2°C por década), as árvores da faixa mais baixa foram encontrando dificuldades para sobreviver; em compensação, as sementes que germinaram em alturas antes inóspitas passaram a encontrar um ambiente propício. O resultado é que a população se deslocou em direção ao pico da montanha.

Eis mais uma consequência do aquecimento global: as árvores são obrigadas a subir as montanhas para escapar do calor. É fácil imaginar o que vai ocorrer quando, após subirem trinta metros por década, elas não tiverem mais para onde ir.

Mais informações: "A significant upward shift in plant species optimum elevation during the 20th century". Science, *vol. 320, p. 1768, 2008.*

4. Cinturão humano cerca reservas ambientais

Com a criação, todos os anos, de parques, reservas ambientais e refúgios naturais, é compreensível que a atenção dos ecólogos, do governo e das organizações ambientalistas se dirija para o interior dessas áreas. Mas agora um grupo de cientistas estudou o que ocorre com as populações humanas no entorno das reservas. Os resultados são preocupantes.

Foram estudadas 306 reservas espalhadas na América Latina e África. Para cada área, foi definido um cinturão de dez quilômetros de largura em volta dos limites da reserva. A mudança na densidade das populações humanas nessas áreas foi comparada com as mudanças que ocorrem no restante das áreas rurais do país em que a reserva está localizada. O estudo teve como objetivo descobrir se a demarcação de uma reserva atrai ou afugenta populações humanas de seu entorno. Por um lado, alguns fatores tendem a atrair a população para essas áreas, como a implantação de projetos que criam empregos (em hotéis, na polícia florestal), investimentos em infraestrutura (estradas) e melhoria das condições de vida da população (escolas e hospitais). Por outro lado, a criação da reserva dificulta a atividade econômica e tende a afastar a população. Restrição ao uso da terra, da flora e da fauna, conflito com o policiamento, aumento do custo de vida e isolamento dos centros urbanos seriam possíveis causas da diminuição da densidade populacional no entorno das reservas.

O resultado do estudo mostra que, em 245 das 306 reservas em 38 dos 45 países estudados, a densidade populacional no cinturão em torno das reservas cresce com o dobro da velocidade do restante da área rural do país. Na América Latina, esse resultado é ainda mais acentuado. Em 20% das reservas analisadas, o acúmulo de pessoas no entorno da reserva é cinco vezes mais rápido do que aquele que ocorre em outras regiões do país. Para descartar a hipótese de que essa população se origina no interior da reserva e que esse resultado simplesmente reflete a mudança das pessoas do interior das reservas para sua periferia, os autores estudaram o que ocorre com a população dentro da reserva. Em 85% dos casos, ela também aumenta.

A velocidade de acúmulo de pessoas no entorno das reservas é diretamente proporcional ao total de investimentos internacionais que fluem para essas reservas. Quanto mais dinheiro é investido na reserva, mais pessoas se mudam para o cinturão de dez quilômetros. Entre 1991 e 2006, essas reservas receberam pelo menos 2 bilhões de dólares em investimentos diretos. O mais inquietante é que a taxa de desflorestamento dentro das reservas, e num raio de cinquenta quilômetros em torno delas, é também diretamente proporcional ao aumento da velocidade de acúmulo de pessoas em volta das reservas, o que cria, ao longo dos anos, um verdadeiro cinturão de desflorestamento nesse entorno.

Esse estudo sugere que as organizações preocupadas com a conservação e a sobrevivência dessas reservas naturais precisam não só estar atentas ao que ocorre no interior delas (o que já é um enorme desafio) mas também às mudanças no seu entorno. Pode parecer paradoxal, mas a criação de reservas e o investimento que elas atraem da comunidade internacional transformam essas regiões em micropolos de desenvolvimento e adensamento populacional, e isso, como se sabe, é um dos maiores perigos para o futuro dessas unidades de conservação.

Mais informações: "Accelerated human population growth at protected area edges". Science, *vol. 321, p. 123, 2008.*

5. Quando a Groenlândia tinha árvores o Rio de Janeiro estava submerso

Algumas das possíveis consequências do aquecimento global são o derretimento de parte do gelo existente na Groenlândia e a resultante elevação do nível do mar. Todos concordam que mesmo um degelo parcial nessas regiões pode elevar o nível dos oceanos entre cinco e dez metros, o que inundaria cidades como Santos, Rio de Janeiro e Nova York. Entretanto, até 2006, a grande incógnita era saber quanto é preciso que a temperatura do planeta aumente para que um degelo dessas proporções ocorra e quão próximos estamos desse limite. Em outras palavras: não existia uma tabela que associasse a temperatura da atmosfera com a porcentagem de degelo, e sem uma tabela como essa qualquer previsão tinha pouca base científica. Mas agora um grupo de cientistas descobriu um método que permite construir uma tabela desse tipo.

Há alguns anos detectou-se a presença de DNA de plantas nos blocos de gelo obtidos em poços perfurados no interior da Groenlândia. Isso sugeriu aos pesquisadores que, no passado, essa parte da Groenlândia, hoje totalmente coberta de gelo, tivesse sido quente o suficiente para permitir o crescimento de árvores. Sabemos que no último 1 milhão de anos a Terra passou por seis períodos de aquecimento. Os três últimos ocorreram há 120 mil, 200 mil e 400 mil anos. Os dois mais recentes duraram 10 mil anos cada e o mais antigo quase 40 mil anos. Seria possível saber quanto da calota de gelo derreteu em cada um desses períodos e que parte da Groenlândia ficou a descoberto? Se esses dados pudessem ser obtidos seria possível correlacioná-los com o que sabemos sobre a temperatura da atmosfera nesses períodos e começar a construir a tabela de temperatura *versus* degelo.

Os cientistas raciocinaram que se a Groenlândia perdeu o gelo por um período longo, então ela pode ter sido colonizada por árvores de clima frio. Mas como descobrir evidências dessa colonização? Então surgiu a ideia realmente criativa. Se os pinheiros existiram naquela época, eles devem ter produzido pólen; esse pólen pode ter sido carregado pelo vento para o mar ao sul da Groenlândia e se acumulado no fundo dos oceanos. Com base nessa hipótese, foram perfurados poços no fundo do oceano para que fossem coletados e examinados os sedimentos acumulados ali ao longo dos últimos milhões de anos. Junto à superfície do fundo do mar, nos sedimentos recentes acumulados nos últimos 20 mil anos, praticamente não foi encontrado pólen, mas, ao examinarem os sedimentos mais antigos, os cientistas encontraram grande quantidade de pólen nos sedimentos acumulados nos períodos de maior aquecimento (120 mil, 200 mil, 400 mil anos atrás). Quanto mais longo o período de aquecimento, mais pólen havia nos sedimentos.

Esses resultados demonstram dois fatos importantes. Primeiro, que grande parte da Groenlândia perdeu sua cobertura de gelo nos períodos de aquecimento global. Segundo, que esses períodos foram longos o suficiente para que florestas se espalhassem por grande parte da ilha. Agora será possível começar a calcular quanto do gelo deve ter derretido à medida que o mundo se aqueceu em cada um desses episódios de aquecimento global. É provável que, com base nesse tipo de estudo, possamos dizer com alguma certeza quanto vão subir os oceanos à medida que o aquecimento global mostrar sua face aterrorizante. Talvez nos próximos anos se possa dispor de dados científicos confiáveis que nos permitam saber se devemos, realmente, nos preocupar com a elevação do nível dos oceanos e, na eventualidade de isso ocorrer, quando cidades como Santos e Rio de Janeiro vão desaparecer do mapa.

Mais informações: "Natural variability of Greenland climate, vegetation, and ice volume during the past million years". Science, *vol. 320, p. 1622, 2008.*

6. A ressurreição da floresta em Anak Krakatoa

A maioria das pessoas compara a destruição de um ecossistema à morte de um ser vivo. Tal como um ser vivo não volta do mundo dos mortos, imaginamos que ecossistemas devastados (como as áreas desflorestadas na Amazônia) jamais retornarão a seu estado original. Esse engano resulta da miopia temporal de um ser vivo cuja vida dificilmente dura mais que cem anos. No entanto, se vivêssemos milhões de anos, teríamos observado a floresta amazônica encolher, desaparecer e renascer diversas vezes. Muitos biólogos estudam o renascimento de ecossistemas devastados, mas para isso é necessário encontrar locais onde toda a vida foi extinta e documentar seu reaparecimento. Um desses locais é a ilha Anak Krakatoa.

Em 1883, a explosão de um vulcão na ilha de Krakatoa, localizada entre Sumatra e Java, foi tão violenta que grande parte da ilha desapareceu. O tsunâmi gerado por essa explosão matou 36 mil pessoas e a cratera ativa do vulcão ficou submersa no oceano. Em 1927, o acúmulo de lava foi suficiente para que o topo do vulcão aparecesse na superfície do mar. A ilha sumiu e ressurgiu três vezes entre 1927 e 1930, e desde então aflorou definitivamente. Hoje seu topo tem trezentos metros de altura. O vulcão Anak Krakatoa — o filho de Krakatoa — tem mais de quatro quilômetros quadrados.

Desde 1930, nove meses depois do reaparecimento da ilha, quando os primeiros biólogos constataram a completa ausência de seres vivos sobre a lava recém-resfriada (minto, a primeira expedição encontrou uma única e solitária aranha), equipes de ecólogos passaram a estudar como a vida recolonizou a rocha vulcânica. Meses depois, apareceram os primeiros fungos e micro-organismos. Em uma década, algumas áreas estavam cobertas por uma savana rala onde dominava a cana-de-açúcar (ela é uma planta nativa dessa região). Depois vieram os insetos, aos poucos as aves e, nos seus intestinos, as sementes das espécies que não haviam sido trazidas pelos ventos ou pelo mar. Surgiram as primeiras florestas e com elas mais pássaros e morcegos. Ninguém sabe como os répteis e os caranguejos chegaram à ilha, mas eles estão lá. No censo de 1980, foram identificadas mais de 140 espécies de plantas, quarenta pássaros e centenas de insetos, e a biodiversidade continua a aumentar a cada ano. A descoberta de figueiras, cujas flores só são polinizadas por vespas que dependem das figueiras para viver, levou os pesquisadores a procurar, e finalmente encontrar, as primeiras colônias desses insetos, o que levantou o debate sobre quem teria se estabelecido primeiro na ilha.

A história natural de Anak Krakatoa demonstra como a vida é resistente e capaz de recolonizar ambientes onde os ecossistemas foram devastados. O processo é longo, complexo e depende diretamente da existência de seres vivos em outros locais do planeta.

Esses experimentos corrigem nossa miopia temporal e provam que comparar ecossistemas a seres vivos pode nos conduzir a decisões equivocadas. Ecossistemas ressuscitam, e isso deve ser lembrado às pessoas que defendem a ideia de que as regiões desmatadas da floresta amazônica devem ser liberadas, uma vez que sua regeneração seria tão impossível quanto ressuscitar um morto. Nada mais errado.

Mais informações: "Fire and life". Nature, *vol. 454, p. 930, 2008.*

III. SEXO

1. O sexo e a origem da morte

A morte surgiu muito depois da vida. Associamos morte à presença de um corpo sem vida, seja ele uma árvore seca ou o cadáver de uma pessoa. Quando a morte não ocorre de forma prematura, causada, por exemplo, por um acidente, ela se dá como resultado do processo natural de envelhecimento do corpo. Ela destrói esse corpo, mas não mata suas células germinativas, que continuam a viver nos filhos. A morte apareceu somente quando a reprodução sexuada surgiu no planeta, 2 bilhões de anos atrás, quase 3 bilhões de anos depois do aparecimento da vida.

Durante os três primeiros bilhões de anos, desde o surgimento da vida, todos os seres vivos possuíam não mais que uma célula. Os seres vivos mais parecidos com os que existiam no planeta, naquela época, são as bactérias, pequenas esferas que medem aproximadamente um milésimo de milímetro. Apesar de bastante complexos, esses seres vivos têm um ciclo de vida muito simples. Eles captam alimentos do meio ambiente e os utilizam para produzir os componentes da única célula que compõe seu corpo.

Quando a célula atinge determinado tamanho, seus genes são duplicados e a célula se divide em duas idênticas à original.

O resultado desse processo de divisão é que a célula deixa de existir sem, porém, deixar para trás um "cadáver". As duas novas células incorporam todo o material contido na célula-mãe. A "mãe" deixa de existir sem morrer e produz dois "filhos" a partir de seu próprio corpo. Esse processo pode continuar de maneira indefinida, com o número de bactérias crescendo sem que se observe a morte. Nesse mundo não existe sexo; as células não precisam de parceiros para se reproduzir. A morte, quando existe, é provocada por acidentes, por exemplo quando uma célula seca ao sol ou o alimento acaba. A morte causada pelo envelhecimento não existe.

Nos últimos 2 bilhões de anos surgiram os seres vivos multicelulares, compostos de mais de uma célula. Nós, com nossas 10^{14} células (o número 1 seguido de catorze zeros), somos um dos exemplos mais sofisticados desse tipo de organismo, que inclui plantas, aves e quase tudo que é vivo e que podemos enxergar com nossos olhos. Nesses seres vivos, cada grupo de células tem uma função: uma parte digere alimentos (intestino), outra movimenta o corpo (músculos), outra faz o sangue circular (coração). Entre todos os grupos de células, um é especial, pois destina-se à reprodução: as células germinativas, cuja função é fundir-se com as células de outro organismo e produzir um novo ser vivo. São nossos óvulos e espermatozoides.

O ciclo de vida dos organismos multicelulares inclui duas novidades: o sexo e a morte programada. O sexo, porque foi nesses organismos que surgiu o mecanismo de fusão de células e genomas como meio de reprodução. A morte programada, porque neles, também pela primeira vez, é que surgiram células cujo material não é incorporado ao novo ser vivo. As células não germinativas, cuja função é garantir a sobrevivência das células reprodutivas, perdem o sentido após o nascimento dos filhos, envelhecem e têm sua morte programada. Nesse momento, o cadáver é incorporado ao ciclo de vida dos seres multicelulares — um corpo sem vida, que é o que associamos à palavra morte.

Mais informações: Sex & the origins of death, *de W. R. Clark, Oxford University Press, Nova York, 1996.*

2. A origem do ato sexual nos vertebrados

Para os biólogos, sexo é o processo que dá origem a um novo ser vivo contendo uma mistura dos genes herdados de cada um de seus pais. Mas para a maioria das pessoas a palavra "sexo" está associada ao mecanismo comportamental de deposição de espermatozoides no interior da fêmea, permitindo que o óvulo seja fecundado. Nossa fascinação pelo sexo está mais relacionada com o prazer que ele envolve do que com a formação de um ovo contendo genes de ambos os pais. A análise de fósseis australianos permitiu aos cientistas mapear quando a cópula (sexo no sentido corriqueiro da palavra) surgiu na face da Terra.

Apesar de todos os vertebrados (peixes, anfíbios, répteis, aves e mamíferos) praticarem a reprodução sexuada, grande parte de nossos parentes distantes não se dedica ao sexo no seu sentido corriqueiro. Muitos peixes liberam seus ovos diretamente na água e os machos espalham os espermatozoides nas proximidades. A fertilização ocorre ao sabor das ondas. No caso das galinhas, a fecundação é interna, com o galo depositando os espermatozoides no interior da cloaca. Após a fertilização, os ovos são postos e os pintos se desenvolvem fora da mãe. Nos vertebrados, existe uma enorme diversidade de soluções para o problema da fertilização e posterior desenvolvimento dos filhotes. Tartarugas abandonam os ovos na praia, pássaros chocam no ninho, alguns peixes chegam a colocar os ovos fertilizados na boca dos machos, que, para poderem cuidar dos futuros filhotes, abrem mão de se alimentar.

Entre os mamíferos, sobreviveu uma única versão desses comportamentos. A fertilização é sempre interna e o desenvolvimento dos filhotes ocorre no interior da mãe. No parto o filhote emerge formado do abdômen da mãe. A questão é saber quando, ao longo da evolução dos vertebrados, a solução utilizada pelos mamíferos surgiu pela primeira vez.

Quem já teve um aquário sabe que existem peixes nos quais a fertilização é interna e os ovos se desenvolvem no interior das fêmeas. São os peixes vivíparos. Eu me lembro da felicidade de observar a barriga dos meus pequenos lebistes crescer e de ver os filhotes emergirem das mães.

Este ano, um grupo de paleontólogos australianos e ingleses reexaminou fósseis de peixes que viveram há 380 milhões de anos (os primeiros mamíferos surgiram há 120 milhões de anos e o *Homo sapiens* menos de 1 milhão de anos atrás) e descobriu no interior deles pequenos filhotes totalmente formados. De início pensou-se que os pequenos peixes estivessem no estômago porque houvessem sido ingeridos como alimento. Mas nos filhotes foi possível identificar uma característica em tudo semelhante aos peixes dentro dos quais eles estavam: ambos pertenciam à espécie placodermas, peixes com placas ósseas que recobrem seu exterior como se fosse uma forte armadura. Além disso, um exame microscópico dos filhotes concluiu que as placas não haviam sido atacadas pelo ácido presente no estômago do animal. Tudo isso sugeria que os peixinhos eram filhotes se desenvolvendo no interior da mãe. O resultado mais importante, porém, foi que os cientistas descobriram nesses peixes os rudimentos de um pênis, uma barbatana modificada para permitir a cópula.

É com base em tais descobertas que os cientistas concluíram que o ato sexual e o desenvolvimento interno dos filhotes tenham surgido nos vertebrados há mais de 380 milhões de anos.

Mais informações: "Devonian arthrodire embryos and the origin of internal fertilization in vertebrates". Nature, *vol. 457, p. 1224, 2009.*

3. O sexo na vida das rainhas *Cataglyphis*

Um dos limites ao narcisismo é a reprodução sexuada. Por mais egocêntricos que sejamos, nunca poderemos transmitir todos os nossos genes a nossos filhos. A reprodução sexuada exige um parceiro — macho ou fêmea — disposto a contribuir com 50% de seus genes. As formigas da espécie *Cataglyphis cursor* são capazes de clonar a si mesmas. O processo que as libertou da tirania da reprodução sexuada foi chamado de *thelytokia*.

Como nós, as formigas-rainha possuem duas cópias de cada gene (diploides). Suas células reprodutivas passam por um tipo especial de divisão celular que resulta em células com uma cópia de cada gene (haploides). No caso dos humanos, tais células correspondem aos óvulos e aos espermatozoides. Na fecundação, um óvulo se funde a um espermatozoide e os filhos, meninos ou meninas, adquirem duas cópias de cada gene, um do pai, outro da mãe (são novamente diploides).

Na maioria das formigas, as rainhas copulam uma única vez e estocam os espermatozoides. Só então começam a produzir seus óvulos. Os óvulos são produzidos aos pares, cada um com uma das cópias dos genes. O controle da rainha sobre sua reprodução é enorme. Quando um óvulo é produzido, ela decide se libera ou não um espermatozoide. Caso o libere, o óvulo é fecundado, produzindo uma fêmea diploide. Caso seja alimentada normalmente, essa fêmea se transforma em uma operária, incapaz de reproduzir. Se a rainha não liberar espermatozoides, o óvulo se transforma em um macho diploide, com somente uma das cópias dos genes da mãe.

Para produzir novas rainhas, a maioria das formigas alimenta as fêmeas jovens com geleia real, o que as transforma em rainhas férteis. Geradas por reprodução sexuada, com 50% dos genes vindos do óvulo e 50% do espermatozoide, as rainhas-filhas são diferentes de suas mães.

Tudo ia bem no reino das *Cataglyphis* até que cientistas resolveram aplicar nas rainhas-filhas um teste de paternidade semelhante ao que a Justiça humana utiliza para determinar quem é o pai de uma criança. Descobriram que todas as rainhas-filhas eram idênticas às mães, possuindo somente os genes destas. Não tinham pais; eram como clones de suas mães.

Com um pouco mais de investigação, descobriram o truque utilizado pelas *Cataglyphis*. Em determinadas situações, as rainhas liberam simultaneamente dois óvulos contendo, cada um, 50% dos genes da rainha. Em vez de liberar espermatozoides para fecundar os óvulos, a rainha utiliza um mecanismo ainda desconhecido para fazer com que os dois óvulos se fundam, produzindo uma célula diploide com todos os genes da mãe. É como se ela cortasse uma maçã ao meio para imediatamente depois juntar as metades. É o processo conhecido como *thelytokia*. Essas células se desenvolvem em rainhas-filhas clones da rainha-mãe. As egocêntricas rainhas *Cataglyphis* não só controlam o sexo dos filhos mas se dão ao luxo de utilizar a reprodução sexuada apenas quando querem.

Desvendado esse primeiro caso, os cientistas, testes de paternidade em punho, tentam descobrir agora esse mesmo fenômeno em outras espécies. Vamos aguardar.

Mais detalhes: "Conditional use of sex and parthenogenesis for worker and queen production in ants". Science, *vol. 306, p. 1780, 2004.*

4. Os pernilongos e seus zumbidos românticos

Ouvir o zumbido de um pernilongo pode ser sinal de que logo mais nosso sangue vai ser sugado e, se tivermos muito azar, que seremos infectados pelo parasita da malária ou pelos vírus da febre amarela e da dengue. Não é sem razão que o zumbido de pernilongos costuma despertar nos humanos uma fúria assassina só saciada quando os vemos esmagados.

Cientistas que têm dedicado a vida a estudar o zumbido dos pernilongos descobriram recentemente que casais de pernilongos organizam seus encontros amorosos utilizando o zumbido que tanto nos irrita.

O *Aedes aegypti*, responsável pela epidemia de dengue, produz seus zumbidos vibrando as asas durante o voo. Há anos se descobriu que os machos emitem um zumbido de seiscentos hertz (frequência de seiscentas vibrações por segundo), um som mais agudo que o emitido pelas fêmeas, que "cantam" a quatrocentos hertz. Sabe-se ainda que, nesses mosquitos, o órgão capaz de captar o som é também capaz de diferenciar os zumbidos dos machos e das fêmeas; e ainda havia a suspeita de que os mosquitos "conversavam" utilizando seus respectivos zumbidos como "linguagem". A novidade é que agora isso tudo foi demonstrado em uma série de experimentos muito elegantes.

Para a realização do experimento, os pesquisadores capturaram os mosquitos vivos e colaram seus abdomens a pequenos alfinetes, de modo que eles ainda pudessem bater as asas e pensar que estivessem voando, quando na verdade estavam presos pelo alfinete. Também foram utilizados um microfone, um osciloscópio (equipamento que mede a frequência do som emitido), um gravador e um alto-falante capaz de reproduzir o zumbido em diferentes frequências.

Primeiro, ao aproximarem os mosquitos do microfone, os cientistas confirmaram que os machos cantam a seiscentos hertz e as fêmeas, a quatrocentos hertz. Depois, mantendo o macho próximo ao microfone, eles traziam as fêmeas para perto dele, como se ambos tivessem se encontrado por acaso em um de seus voos. O que se observou é que, quando a distância entre o macho e a fêmea era menor que dois centímetros, imediatamente a frequência do zumbido emitido por eles se alterava e os pernilongos passavam a cantar, em uníssono, a 1200 hertz (bem mais agudo). Se essa distância, porém, era aumentada, em poucos segundos eles voltavam a emitir seu zumbido original. O interessante é que essa sincronia em uma frequência mais alta só ocorre em interações de pernilongos do sexo oposto. Quando o encontro se dá entre dois machos ou duas fêmeas, nenhum deles modifica seu canto. A fim de confirmar que a identificação do sexo oposto se dava pelo som, os cientistas usaram alto-falantes para simular um pernilongo macho ou fêmea. Se o alto-falante que zumbia a seiscentos hertz era levado para próximo de uma fêmea que estava zumbindo a quatrocentos hertz, ela imediatamente mudava seu canto para 1200 hertz. Esse resultado só confirmou que no escuro a identificação do sexo oposto se dá tão só através do som emitido.

Os cientistas acreditam que o fato de os pernilongos de diferentes sexos emitirem sons de diferentes frequências, combinado com a descoberta de que os sexos ajustam sua frequência quando se encontram com o sexo oposto, sugere fortemente que os mosquitos utilizam esse mecanismo para identificar potenciais parceiros sexuais e se acasalar no escuro.

Assim, a partir de hoje, quando os pernilongos estiverem zumbindo no meu ouvido, vou me transformar em um *voyeur* auditivo, imaginando toda essa dança amorosa dos bichinhos. Talvez isso aplaque um pouco minha vontade de esmagar os autores dos zumbidos.

Mais informações: "The harmonic convergence in the love songs of the dengue vector mosquito". Science, *vol. 323, p. 1077, 2009.*

5. Depois do sexo...

Para a maioria dos machos, o ato sexual é o resultado de uma batalha exaustiva. Geralmente são muitos machos competindo pelos favores de uma fêmea. Machos de moscas a elefantes brigam entre si pelas fêmeas, enquanto machos de outras espécies competem pela atenção das fêmeas exibindo suas plumas ou seus atributos físicos, como ocorre com os pavões e com muitos mamíferos. Ao vencedor cabe o privilégio de transmitir seus genes para a próxima geração. Mas, após o sexo propriamente dito, ainda existe o risco de a fêmea copular com outros machos, diluindo o esperma do primeiro macho e, com isso, reduzindo o número de filhos resultantes daquele ato sexual. Pelo lado das fêmeas, copular com diversos machos diversifica o material genético, diminuindo o risco de comprometer sua prole com o material genético de um único macho.

Dado esse desalinhamento de interesses entre os sexos, não é de espantar que ao longo da evolução uma série de mecanismos garantidores da fidelidade da fêmea tenham sido selecionados. Muitos machos de aves, répteis e macacos permanecem próximos das fêmeas recém-conquistadas para impedir a aproximação de outros machos. Em outras espécies, mecanismos que independem de hábitos comportamentais foram desenvolvidos. Em algumas vespas, o feromônio do macho bloqueia o apetite sexual das fêmeas após o sexo. Em roedores, o cheiro do macho dominante faz com que as fêmeas desprezem machos inferiores após o sexo.

Mas entre os mecanismos conhecidos talvez o mais peculiar seja o desenvolvido pelos machos da *Drosophila*, aquelas mosquinhas que sempre encontramos rondando cachos de banana madura. Nessa espécie, o sêmen do macho contém uma pequena proteína que funciona como um poderoso hormônio; produzida em uma glândula semelhante à próstata, ela é misturada ao sêmen e injetada na fêmea junto com os espermatozoides durante o ato sexual. O hormônio altera radicalmente o comportamento das fêmeas. Agora elas passam mais tempo botando ovos e menos tempo flertando com outros machos. Apesar de o hormônio ter sido descoberto há apenas alguns anos, somente agora um grupo de cientistas conseguiu identificar o receptor ao qual ele se liga. O receptor está presente tanto no aparelho reprodutivo da mosca quanto em algumas células de seu cérebro. Moscas transgênicas em que o receptor foi removido deixaram de ter um comportamento alterado pelo sêmen do macho e continuaram sua vida promíscua mesmo após diversas relações sexuais.

Essa descoberta, além de abrir a possibilidade de tal mecanismo ocorrer em outras espécies (o sêmen de mosca tem uma composição semelhante ao sêmen dos vertebrados), demonstra pela primeira vez a existência de um mecanismo hormonal completo através do qual o macho pode controlar o comportamento das fêmeas. A descoberta desse receptor também abre a possibilidade de desenvolvermos novas moléculas para controlar a proliferação de insetos. Imagine um *spray* contendo uma molécula que tenha o mesmo efeito do hormônio. As fêmeas deixariam de se interessar por machos e reduziriam o número de ovos produzidos.

Finalmente, como lembrou Leslie Griffith, uma pesquisadora da universidade de Brandeis, nos Estados Unidos, a possibilidade de os machos regularem o comportamento das fêmeas com seu esperma é mais uma razão para as fêmeas insistirem no uso da camisinha.

Mais informações: "A receptor that mediates the post-mating switch in Drosophila *reproductive behavior".* Nature, *vol. 451, p. 33, 2008.*

6. Um gene que determina a preferência sexual

Todos concordam que são os genes que determinam o sexo dos animais. No entanto, o assunto se torna polêmico quando se tenta atribuir aos genes a preferência sexual de indivíduos. Embora no homem nunca tenha sido demonstrado que há um gene que aumenta a propensão à homossexualidade, isso não é verdade no caso das moscas-das-frutas, nas quais um gene desse tipo já vem sendo estudado há anos.

Os machos das *Drosophilas* têm uma maneira muito especial de fazer a corte, e ela não é muito diferente da empregada pelos humanos — dançam em volta das fêmeas, balançam as asas e tentam copular. Há alguns anos, os cientistas descobriram uma linhagem em que o macho, em vez de cortejar as fêmeas, prefere dançar e arrastar as asas para outro macho, com o qual tenta copular. O gene que estava destruído nessa linhagem de moscas foi denominado de fru e a linhagem mutante de *fruitless* (infrutífero ou sem fruta). Com o gene fru intacto, os machos cortejam fêmeas; com o gene fru destruído, os machos cortejam machos. Você vai se perguntar como é possível, então, que essa linhagem de moscas perdure, se os machos só buscam fazer sexo com outros machos? Ocorre que, para que a mosca perca a discriminação sexual, é necessário que *as duas* cópias do gene fru estejam destruídas. Assim, é possível manter a linhagem *fruitless* utilizando machos com somente uma cópia do gene fru destruído.

A maneira como o gene fru atua sobre a preferência sexual foi por muito tempo um mistério. Agora um grupo de cientistas japoneses desenvolveu um método que permite mapear, no cérebro das moscas, os neurônios em que o gene fru se manifesta. Através desse método, descobriram que o gene está ativo em grande número de neurônios. Entretanto, nas moscas macho existe um pequeno agrupamento de neurônios não observado nas fêmeas. O passo seguinte foi descobrir quando, na embriologia das moscas, as fêmeas perdem esses neurônios. Durante os estágios larvais, machos e fêmeas têm o cérebro idêntico. Nessa fase surge um agrupamento de neurônios em uma região específica do cérebro. Nas fêmeas, parte das células desse grupo está programada para morrer, e acaba morrendo, o que leva os machos adultos a terem mais células no cérebro. O papel do gene fru é evitar que essas células morram nos machos. Quando o gene fru está destruído, como no caso da linhagem *fruitless*, essas células morrem tanto nos machos como nas fêmeas. Nesse caso, o cérebro do macho fica idêntico ao das fêmeas e ele deixa de ser capaz de discriminar machos de fêmeas.

Esse resultado é a primeira demonstração de que um único gene é capaz de determinar não só as diferenças morfológicas no cérebro de machos e fêmeas mas também o comportamento sexual. Parece que os genes que definem o sexo do animal influenciam a ação do gene fru, que por sua vez afeta a estrutura do cérebro e, consequentemente, o comportamento sexual. Para que uma drosófila atue como macho, ela precisa ter não só uma genitália de macho mas também um cérebro de macho. Cuidado, porém, com as generalizações: moscas têm cérebro rudimentar e são muito diferentes de seres humanos.

Mais informações em: "Fruitless specifies sexually dimorphic neural circuitry in the Drosophila *brain".* Nature, *vol. 438, p. 229, 2005.*

7. Sexo e feromônios no mundo dos elefantes

"Macho adulto, maduro e com disposição para o acasalamento procura fêmea fértil para constituir família. Fêmeas grávidas ou fora do período fértil, favor não se candidatar." Enquanto necessitamos de duas dezenas de palavras para fazer esse chamamento, os elefantes transmitem a mesma mensagem utilizando unicamente dois isômeros de uma mesma molécula.

À medida que amadurecem sexualmente, os elefantes machos passam a manifestar uma espécie de cio ("*musth*" em inglês) durante parte do ano. Nesse período, eles se tornam agressivos e exibem uma maior atividade sexual.

Os elefantes machos possuem uma glândula na face que, durante esse período de cio, secreta um feromônio capaz de atrair fêmeas. Chamado de frontalina, esse feromônio existe sob duas formas, ambas com a mesma composição química, mas com estruturas distintas. Essas formas são isômeros enantiomorfos, pois guardam entre si a mesma relação que a mão esquerda tem com a mão direita. Da mesma maneira que é impossível sobrepor uma mão à outra, pois elas não são idênticas, mas apenas imagens espelhadas, as duas formas da frontalina são também uma imagem espelhada da outra.

Para compreender como a frontalina regula o comportamento sexual dos elefantes, os cientistas isolaram a frontalina produzida por diversos desses animais e determinaram quanto cada um deles produzia e qual a porcentagem de cada uma das formas. Descobriram que entre os quinze anos de idade, quando tem início a maturidade sexual dos elefantes, e os quarenta anos, quando eles se tornam maduros, os machos aumentam em quinze vezes a quantidade de frontalina secretada. Nos jovens, um dos isômeros é predominante, mas à medida que o macho amadurece a proporção entre as duas formas vai se equilibrando.

De posse desses dados, foi possível produzir misturas de frontalina com diferentes concentrações de feromônio e diferentes proporções de cada isômero, e testar o efeito dessas secreções artificiais sobre animais de ambos os sexos. Verificou-se que a mistura produzida por elefantes jovens atrai outros jovens do mesmo sexo. Misturas com uma maior quantidade de frontalina atraem machos de todas as idades. O mais interessante ocorreu quando uma alta dose de feromônio contendo a mesma quantidade dos dois isômeros era colocada na secreção artificial. Essa mistura afastava os machos jovens e atraía as fêmeas, especialmente as que estavam no período fértil, repelindo as fêmeas grávidas ou as que se achavam no período não fértil do ciclo menstrual.

Dessa maneira, combinando a quantidade certa de feromônio, o que indica sua superioridade, com a mistura correta dos dois isômeros, o que demonstra sua maturidade, o macho dominante consegue monopolizar as fêmeas férteis. Uma mensagem sofisticada para ser transmitida por somente dois isômeros de uma mesma molécula.

O estudo demonstra que podem existir métodos complexos

de comunicação entre indivíduos de uma mesma espécie, ainda que na ausência de uma linguagem sofisticada como a nossa.

Mais informações: "Chirality in elephant pheromones". Nature, *vol. 438, p. 1097, 2005.*

8. Sexo à distância e anticoncepcional em plantas

O pólen de uma gramínea pode viajar quilômetros antes de fertilizar outra planta. *Agrostis stolonifera* é a nova recordista mundial (21 quilômetros). Ela superou a canola (três quilômetros), o rabanete e o girassol (1,5 quilômetro).

Como a *Agrostis* é usada nos campos de golfe dos Estados Unidos, com o objetivo de diminuir o custo de arrancar as ervas daninhas foi desenvolvida uma variedade que contém o gene de resistência ao herbicida glifosato. É mais fácil e barato matar as ervas daninhas borrifando o glifosato do que arrancá-las uma a uma. As ervas morrem e a grama resiste ao herbicida. É a mesma tecnologia usada na soja transgênica. Para isolar sexualmente uma variedade de grama do restante das gramas, é necessário criar uma zona "desmilitarizada" de pelo menos 25 quilômetros em volta da plantação. Dada essa dificuldade de isolamento, a comercialização dessa variedade foi proibida.

A disseminação de genes faz parte dos mecanismos que garantem a diversidade dos seres vivos. Os exemplos são muitos. No Nordeste brasileiro, a disseminação dos genes que codificam para olhos azuis e cabelo louro iniciou-se durante a invasão holandesa de Maurício de Nassau e continuou durante a Segunda Guerra Mundial, com a instalação das bases americanas. Algumas vezes o homem dirige o processo de disseminação, como na criação de animais domésticos ou no desenvolvimento de novas variedades de plantas. No caso dos genes de resistência aos antibióticos, é difícil controlar o processo. Os genes passam de uma bactéria a outra, tornando as bactérias resistentes aos antibióticos.

Carregar um gene tem um custo para os seres vivos, pois ele necessita ser copiado cada vez que uma célula se divide. O custo para uma planta, por exemplo, a torna menos competitiva comparada com plantas que não carregam o gene. Por esse motivo, um gene só é mantido se trouxer vantagens. Em uma plantação de *Agrostis* borrifada constantemente com glifosato, o gene que confere resistência ao herbicida traz uma vantagem competitiva, sendo indispensável para a sobrevivência da planta. Por outro lado, se o vento levar o pólen da *Agrostis* para uma área de grama sem glifosato, em um primeiro momento surgirão plantas com o gene. No entanto, após algumas gerações, as plantas com o gene perderão a competição e ele tenderá a desaparecer. Sem uma pressão seletiva em favor de sua manutenção, qualquer gene é eliminado. É a dura realidade da luta pela sobrevivência das espécies descoberta por Darwin. O fato de um gene se espalhar não garante que ele se mantenha no meio ambiente.

O interessante é que existe uma solução para esse problema. Genes que tornam as plantas estéreis podem ser colocados nelas juntamente com genes que causam o efeito desejado. Seria como produzir uma *Agrostis* resistente ao glifosato, mas incapaz de produzir pólen. Uma grama vasectomizada. Embora tenha o potencial de resolver grande parte do problema de disseminação gênica, seu uso foi violentamente combatido. Uma planta estéril forçaria o agricultor a comprar sementes todos os anos.

Mais detalhes: "Evidence for landscape-level, pollen-mediated gene flow from genetically modified creeping bentgrass with CP4 EPSPS as a marker". Proc. Natl. Acad. Sci. USA, *vol. 101, p. 14 533, 2004.*

IV. COMPORTAMENTO

1. Insetos envolvidos em uma corrida armamentista

Quem viu afirma que é chocante. Na pacífica Dinamarca, uma borboleta e uma formiga se envolvem em uma desesperada corrida armamentista. Mal a lagarta da borboleta-azul *Maculinea alcon* eclode do ovo, sua presença é detectada pelas formigas da espécie *Myrmica rubra*, que se aproximam da frágil e indefesa lagarta com suas enormes mandíbulas. Mas em vez de matá-la e devorá-la, a formiga ergue a lagarta com delicadeza e cuidadosamente a leva para o formigueiro. O que ocorre lá dentro é impressionante. Durante semanas as formigas alimentam a lagarta da borboleta-azul com um cuidado e dedicação maiores que os destinados a suas próprias filhas. Por fim, bem alimentada e crescida, a lagarta forma seu casulo, de onde mais tarde eclode uma linda borboleta-azul. Na realidade, a borboleta é um parasita das formigas. Tamanha é a dedicação delas para cuidar desse sofisticado parasita que, ao deixarem de dar atenção a suas próprias filhas, põem em risco a sobrevivência delas a fim de garantir a sobrevivência da borboleta-azul.

Mas qual seria o mecanismo usado pela borboleta para convencer as formigas a adotarem seus filhotes? Os biólogos dinamarqueses descobriram que as lagartas produzem uma série de compostos químicos "cheirosos" idênticos aos produzidos pelos filhotes das formigas. Como o cheiro exalado pelos dois tipos de filhotes é igual, as formigas pensam que estão cuidando de uma de suas filhas. Vem daí a enorme dedicação às lagartas da borboleta.

Ao analisarem os compostos "cheirosos" de pares de borboletas e formigas coletados em diferentes regiões da Dinamarca, os cientistas descobriram que em cada local os compostos produzidos pelos pares de borboletas e formigas eram idênticos. Mas quando compararam pares de regiões diferentes descobriram que os compostos eram ligeiramente diferentes. Em virtude dessas diferenças, se uma lagarta de borboleta no Norte for coletada e oferecida a uma formiga do Sul, esta vai hesitar um pouco antes de levar a lagarta para seu ninho. Talvez ela pense: "Essa minha filha está com um cheiro estranho...".

O fato de esses insetos produzirem moléculas idênticas em diferentes regiões sugere a existência de uma corrida armamentista entre as espécies. Imagine que uma formiga sofra uma mutação e comece a produzir um "cheiro" diferente. Isso vai permitir que ela seja capaz de diferenciar os parasitas de seus próprios filhos e, desse modo, cuidar melhor dos da sua espécie. Os parasitas, consequentemente, terão mais dificuldade em ser recolhidos e cuidados. Vitória da formiga! Mas imagine que logo a seguir uma das borboletas sofra a mesma mutação e comece a produzir o novo "cheiro". A partir desse momento, ela passa a ser "amada" novamente pelas formigas e sua capacidade de parasitar aumenta. Como consequência, as formigas ficam debilitadas. Vitória da borboleta! A partir desse ponto, a formiga e a borboleta repetem o ciclo. O resultado é uma corrida armamentista entre as duas espécies, uma desenvolvendo uma arma para se defender do parasita, enquanto a outra desenvolve uma nova arma para renovar sua superioridade. O resultado desse embate são inúmeros pares de espécies, cada qual com um "cheiro" distinto. É a evolução darwiniana ocorrendo diante dos nossos olhos.

Mais informações: "A mosaic of chemical coevolution in a large blue butterfly". Science, *vol. 319, p. 88, 2008.*

2. Um parasita que daria inveja às sanguessugas

Parasitas e hospedeiros vivem uma relação conflituosa. Ambos utilizam ardis sofisticados para garantir sua sobrevivência, o parasita tentando exercer seu controle sobre o hospedeiro e este procurando minimizar os efeitos maléficos do parasita.

Alguns parasitas, como o carrapato, têm uma interação curta e intermitente com seu hospedeiro: após sugar o sangue de uma vaca, o carrapato se desprende, põe milhares de ovos, dos quais nascem as pequenas larvas que passam meses com suas patinhas estendidas, esperando que outra vaca roce no galho em que se alojaram.

Outros parasitas, como o causador da malária, nunca ficam distantes de seus hospedeiros: o plasmódio divide seu tempo entre o intestino do mosquito, onde espera pacientemente que ele encontre uma pessoa para picar, e o sangue da pessoa picada, onde se reproduz até ser sugado por outro mosquito.

Mas existe uma classe de parasitas que adota uma estratégia ainda mais esperta. Após invadirem o hospedeiro, eles colonizam seus óvulos ou espermatozoides. Quando o hospedeiro se reproduz, eles são transmitidos diretamente para os filhos do hospedeiro. Pegando uma carona no sistema reprodutivo do hospedeiro, eles garantem sua presença em todos os seus descendentes.

É nesse grupo que está a *Wolbachia*, uma bactéria que parasita insetos. Ela é tão bem-sucedida que vive como parasita de 20% a 80% das espécies conhecidas de insetos. Uma vez dentro deles, ela é transmitida de geração em geração, se instalando na "família" de forma quase permanente.

Esse feito resulta de sua capacidade de infectar células germinativas com parcimônia: por não afetar demasiadamente a saúde do hospedeiro, a *Wolbachia* permite que ele se reproduza. Ainda não se compreendia como esses parasitas conseguiam invadir os ovos do hospedeiro. Agora a tática usada foi descoberta.

Horácio Frydman, um cientista brasileiro que trabalha em Princeton, introduziu em um grupo de drosófilas (aquelas pequenas moscas que vivem em volta das bananas) uma pequena quantidade de *Wolbachia*. Depois disso, a cada dois dias ele matava algumas drosófilas para observar onde os parasitas tinham se instalado.

Na primeira semana, ele observou que as bactérias migravam para o interior dos ovários da mosca depois de atravessarem a membrana que separa os ovários do espaço existente no interior do abdômen.

Em seguida, Frydman notou que as bactérias atravessavam uma segunda membrana que isola cada um dos grupos de células que vão dar origem aos ovos das drosófilas.

Passados quinze dias, os parasitas se acumulavam em um pequeno espaço onde estão localizadas as células-tronco dos ovários que vão originar os ovos — o lugar ideal para os parasitas se alojarem nos ovos ainda durante sua formação.

É por terem êxito em migrar de maneira organizada para esse local que eles conseguem ser transmitidos de uma geração para a outra, o que revela o profundo conhecimento que os parasitas possuem do funcionamento de seu hospedeiro.

Mais informações: "Somatic stem cell niche tropism in Wolbachia". Nature, *vol. 441, p. 509, 2006.*

3. Um parasita do afeto humano

Quando o meio ambiente se modifica, os seres vivos incapazes de se adaptar a ele se extinguem. Por esse motivo, as estratégias utilizadas pelos animais para sobreviver em novos ambientes são muito estudadas pelos biólogos. Meu exemplo favorito é uma espécie que desenvolveu a capacidade de explorar a aptidão humana para dar e receber afeto. Utilizando sua capacidade de parasitar nossa mente, esse animal conseguiu garantir a sobrevivência de sua espécie. Como todo parasita, foi obrigado a abrir mão de sua liberdade, mas valeu a pena: da maneira como o homem vem alterando o planeta, é quase certo que essa espécie será a última do seu grupo a se extinguir, pois associou definitivamente seu destino ao do homem. Trata-se do cão.

Desde que o homem se espalhou pela Terra, os grandes carnívoros têm sofrido com nossa presença. No passado, lobos, tigres e leões não só competiam com o homem por alimentos como também se alimentavam de nossos ancestrais. À medida que o homem avançou sobre diversos ecossistemas e foi aos poucos invadindo seu *habitat*, eles foram caçados impiedosamente, e hoje muitos já se extinguiram ou estão na lista das espécies em extinção.

A exceção é o cachorro, que, ao entregar seu destino a seu pior inimigo, foi capaz de criar uma estratégia de sobrevivência exemplar. Provavelmente o homem primitivo domesticou o cachorro a fim de aproveitar sua capacidade de vigilância, do mesmo modo que domesticou as vacas para obter seu leite e os cavalos para o transporte. Mas, ao contrário desses animais, o cachorro teve a astúcia de desenvolver uma relação direta com nossa capacidade de criar laços afetivos. Talvez isso tenha ocorrido por causa de seu olhar meigo ou de sua capacidade de balançar o rabo. Não importa, o fato é que esse foi provavelmente o animal que melhor explorou essa característica humana.

Com o passar do tempo, a função dos cães como guardas perdeu importância, e eles começaram a correr o risco de ter sua população reduzida, como ocorreu com os cavalos após o surgimento do automóvel. Mas sua conexão direta com o afeto humano tem garantido o contínuo crescimento da espécie. Nos países desenvolvidos, o homem criou e sustenta uma indústria de bilhões de dólares para suprir esses animais com comidas especiais, roupas, tratamento veterinário, hotelaria e até cuidados psicológicos. Tamanha é a relação de parasitismo dessa espécie com a afetividade humana, que nos países pobres, onde homens passam fome, cães competem com crianças por comida. São poucas as sociedades em que esses animais são sacrificados para servir de alimento.

Mas para conquistar o privilégio de serem sustentados e protegidos pela espécie mais poderosa do planeta, eles tiveram de abrir mão de muitos privilégios, inclusive de sua liberdade reprodutiva: muitas raças de cães entregaram a seus protetores o poder de escolher seus parceiros sexuais. O domínio que esses parasitas exercem sobre o sistema amoroso de seus hospedeiros é de tal ordem que muitos humanos sacrificam seu bem-estar em prol de seus cães. É impressionante o sucesso da estratégia evolutiva dessa espécie, talvez o único caso em que um parasita controla a mente de seu hospedeiro. Reconhecer esse fato só faz aumentar minha admiração pelos cães.

4. O que mata os diabos-da-tasmânia

A Tasmânia, ilha localizada ao sul da Austrália, é hoje o único *habitat* do diabo-da-tasmânia, um marsupial carnívoro que inspirou o personagem de histórias em quadrinhos Taz. Desde 1996, quando um tumor facial foi detectado pela primeira vez em um diabo, mais de 80% da população dessa espécie foi exterminada pela doença. Sobram aproximadamente 150 mil animais. Ao tentar identificar a causa desse tumor, os cientistas descobriram um novo fenômeno biológico: a transformação de um câncer em um organismo independente, algo que talvez possa ser classificado como um novo tipo de parasita.

Tudo indica que o tumor que desponta na face dos animais é transmitido de um animal para o outro durante as brigas ocorridas na época do acasalamento. O câncer se espalha pela face, penetra na boca, destrói a arcada dentária e pode invadir a cavidade ocular. Como impede que o animal se alimente, acaba por matar de fome o pobre diabo.

É bem conhecida a capacidade de células cancerosas se alastrarem pelo corpo, provocando metástases. Entretanto, não existem tumores que se espalham de pessoa para pessoa como se fossem doenças infecciosas. Nos tipos de câncer aparentemente transmitidos entre humanos, o que se espalha é um vírus. Ele induz o aparecimento do tumor em uma pessoa, é transmitido para outra e induz um novo tumor. É o caso de alguns tipos de câncer do colo do útero, causados pelo vírus do papiloma.

A explicação mais simples para a disseminação de tumores entre os diabos-da-tasmânia era a presença de um vírus, mas quando os pesquisadores estudaram células de onze tumores retirados de animais diferentes, em diferentes regiões da ilha, tiveram uma surpresa. Todos os tumores apresentavam um grande número de alterações nos cromossomos (a parte da célula que contém o DNA), com perda de genes e o aparecimento de novos segmentos de DNA.

Até aí nada de mais, a grande maioria dos tumores apresenta mesmo alterações cromossômicas. O problema é que nos tumores de todos os animais se verificava o mesmo conjunto de alterações, o que tornava impossível que esses arranjos tivessem surgido de forma independente em cada animal.

Todo esse quadro indica que as células do tumor são transmitidas diretamente durante as brigas. Elas se alojariam nas feridas, iniciando o desenvolvimento de um novo tumor, mais tarde transmitido a um terceiro animal, se espalhando assim pela população. O fenômeno é semelhante à disseminação de um agente infeccioso, um vírus ou uma bactéria, que se alastram em uma população pulando de hospedeiro para hospedeiro.

O resultado desse estudo surpreende, pois demonstra que essas células tumorais, originadas provavelmente em um único diabo-da-tasmânia, são capazes de escapar do sistema imune de todos os indivíduos da espécie. Elas se tornaram seres vivos independentes, com genoma próprio, que as capacita a infectar e a se reproduzirem em qualquer diabo-da-tasmânia.

Um ser vivo que utiliza outro ser vivo para se reproduzir e que é capaz de sobreviver após a morte do hospedeiro é o que se costuma classificar como um parasita. Provavelmente, o que estamos observando na Tasmânia é o surgimento de um novo tipo de parasita, uma linhagem de células capazes de sobreviver à custa dos simpáticos diabos-da-tasmânia.

Mais informações: "Transmission of devil facial-tumor disease". Nature, *vol. 439, p. 549, 2006.*

5. Solidariedade e trapaça

Assim que a comida começou a acabar, cada indivíduo passou a enviar sinais. Atraídos por esses sinais, aos poucos todos eles se reuniram em um imenso conglomerado. Usando a energia de que ainda dispunham, selecionaram uns poucos membros do grupo e os encapsularam, de modo que pudessem sobreviver por muitos meses, mesmo na ausência de alimentos. Uma vez terminado o processo, os indivíduos não encapsulados morreram de fome.

A sobrevivência da colônia dependia dos encapsulados. Vagando ao sabor dos ventos, eles hibernaram por meses. Quando finalmente um deles encontrou alimento, voltou à vida, se reproduziu e criou uma nova colônia, que explorou o ambiente até a comida rarear outra vez.

Então tudo recomeçou.

Esse é o ciclo de vida da bactéria *Mixococus xanthus*, um dos organismos mais simples que possuem alguma forma de organização social. Os membros do grupo se intercomunicam, coletivamente organizam uma estratégia de sobrevivência (a formação de esporos) e ainda possuem uma forma primitiva de altruísmo, já que muitos se sacrificam para garantir a sobrevivência das futuras gerações.

Há alguns anos descobriu-se que as sociedades de *Mixococus xanthus* sofrem do mesmo problema que as sociedades humanas: o aparecimento dos trapaceiros, elementos que se aproveitam do espírito de cooperação de outros indivíduos para obter vantagens pessoais. No caso dos *Mixococus*, o que ocorre é o aparecimento de bactérias mutantes incapazes de formar esporos.

Quando cultivados isoladamente, esses mutantes crescem se houver alimento; na falta dele, não formam esporos e morrem.

Entretanto, quando essas bactérias mutantes crescem no mesmo ambiente que os *Mixococus* normais, os mutantes "obrigam" as bactérias a ajudá-los a formar seus esporos. O pior é que nessas condições os trapaceiros produzem mais esporos que os *Mixococus* normais e, por levarem vantagem, aos poucos vão se impondo numericamente na população. O aumento do número de trapaceiros sociais acaba provocando o colapso da sociedade de *Mixococus*, pois só sobram trapaceiros. E, na falta de vítimas que os ajudem a se encapsular, também eles acabam morrendo.

O que se descobriu é que muito raramente os trapaceiros sofrem mutação e se convertem em supercooperadores, bactérias que possuem um nível maior de solidariedade que as *Mixococus* originais e que, por produzirem muitos esporos, conseguem liquidar os trapaceiros.

Quando os cientistas sequenciaram o genoma dos trapaceiros e dos supercooperadores, descobriram que uma única mutação é responsável por restaurar o comportamento social e por produzir indivíduos supercooperativos. Esse é o primeiro gene conhecido capaz de "reabilitar" delinquentes sociais.

Infelizmente a bactéria *Mixococus xanthus* é um dos seres vivos de evolução mais distante do *Homo sapiens*, sendo, portanto, quase impossível que essa descoberta possa ser de alguma valia para a reabilitação do grande número de trapaceiros e delinquentes que existem em nossa sociedade. Mas não deixa de ser interessante saber que, ao menos nas bactérias, o comportamento social é algo controlado diretamente pelos genes.

Mais informações: "Evolution of an obligate social cheater to a superior cooperator". Nature, *vol. 441, p. 310, 2006.*

6. A longa marcha dos grilos canibais

É bastante comum grandes números de animais se organizarem e marcharem por longas distâncias. Mesmo entre os humanos, esse fenômeno pode ser observado. A Coluna Prestes, que percorreu o Brasil entre 1925 e 1927, e a Longa Marcha de Mao, em 1943, na China, são exemplos disso. Um estudo detalhado das motivações que levam os grilos *Anabrus* a se pôr em marcha mostrou que a fome e o medo são responsáveis por mobilizar o bando.

Esses grilos, que vivem nos Estados Unidos e são incapazes de voar, movem-se em bandos de milhões de animais em grossas filas de até dez quilômetros de extensão que avançam dois quilômetros por dia. Caso esses insetos encontrem uma estrada de rodagem pela frente, ocorre um fenômeno inusitado: quando a fila se põe a atravessar a estrada, alguns grilos são atropelados. Os que vêm logo atrás param para comer os insetos atropelados e são, por sua vez, também atropelados, transformando-se em alimentos para os seguintes.

Esse fenômeno do tipo bola de neve causa um acúmulo tão grande de grilos mortos nas estradas que a pista fica escorregadia, provocando acidentes. Intrigados com esse fato, os cientistas resolveram investigar os fatores responsáveis pela organização e coordenação da marcha dos grilos. No intuito de descobrir se eles marchavam em busca de comida, colocaram tigelas com diversos tipos de alimentos no caminho da coluna e mediram o interesse dos grilos por cada um deles. Açúcares e alimentos que continham carboidratos não foram capazes de paralisar a marcha da coluna.

O alimento que se mostrou mais atrativo para os grilos foi uma mistura de proteína e sal. Quando colocada nas tigelas, paralisava a marcha da coluna do mesmo modo que os companheiros mortos na estrada. Os cientistas resolveram então analisar a composição dos próprios grilos e observaram que eles continham sal e proteína como componentes principais. Portanto, o que os grilos procuram é exatamente o que existe em seus próprios corpos. Isso explica, em parte, o canibalismo.

O canibalismo parece ter também um papel importante na organização da marcha. Os cientistas observaram que durante o percurso os grilos utilizam as patas posteriores para dar "coices" nos grilos que se aproximam por trás, defendendo-se dos atacantes. Grilos incapazes de dar esses "coices" acabam sendo devorados pelos que vêm atrás. O fato foi confirmado por vários experimentos em que a velocidade com que um grilo caminhava era reduzida. Em todos os casos, os retardatários foram devorados pela coluna em marcha.

Essas observações levaram os cientistas a criar um modelo para explicar a marcha dos grilos. A motivação primária, que inicia a migração, é a busca por alimentos. Uma vez que a marcha se organiza, a velocidade é imposta aos da frente pela fome dos que vêm atrás. Mas se é o medo que mantém o bando caminhando, por que os grilos não abandonam o grupo e caminham sozinhos em busca de comida? A resposta vem de experimentos que demonstram que um grilo fora do bando se torna presa fácil para os pássaros, que adoram devorar grilos.

Entre o medo dos pássaros, o medo dos que vêm atrás e a vontade de comer os da frente, a solução é caminhar cada vez mais rápido. É dura a vida dos grilos *Anabrus.*

Mais informações: "Cannibal crickets on a forced march for protein and salt". Proc. Natl. Acad. Sci. USA, *vol. 103, p. 4152, 2006.*

7. As criadoras do passômetro

As formigas *Cataglyphis* sempre sabem onde estão. Quando saem para se alimentar, caminham em zigue-zague, distanciando-se do formigueiro. Ao encontrarem alimento, dão meia-volta, se orientam na direção da entrada do formigueiro e voltam ao seu buraco em linha reta. Isso significa que elas sabiam exatamente onde estavam. Nós também somos capazes dessa proeza, mas só se estivermos aparelhados com mapa e bússola. Sem eles, a única maneira de voltarmos ao local de onde partimos é percorrendo o mesmo caminho, fazendo o mesmo zigue-zague da ida. Ainda assim, é preciso que nos lembremos do caminho ou que tenhamos deixado marcas de orientação.

Visto que as formigas só saem à noite e numa paisagem onde não há informações visuais, de que forma elas se orientam era um mistério. Há alguns anos se descobriu que as formigas são capazes de determinar a direção em que caminham recorrendo à imagem das estrelas, informação, porém, insuficiente, pois elas precisam saber a distância que percorreram em cada direção. Conhecendo cada direção do zigue-zague e quantos metros caminharam em cada uma dessas direções, elas poderiam calcular sua localização exata. Se fosse esse o caso, então as formigas deveriam ter um meio de medir distâncias, uma espécie de hodômetro interno, semelhante aos que existem nos carros. Sugerido inicialmente em 1904, esse hodômetro agora foi descoberto.

Os cientistas suspeitaram que as formigas determinam a distância que percorrem contando passos. Para testar essa hipótese, fizeram um experimento simples e engenhoso. Imaginaram que se alterassem o comprimento dos passos das formigas seriam capazes de induzi-las a errar a conta da distância.

As formigas iam sendo capturadas pelos cientistas assim que elas encontravam o alimento e iniciavam a volta ao formigueiro. Num primeiro grupo, o comprimento das patas das formigas foi aumentado colando-se nelas uma espécie de perna de pau feita de pelo de porco. Com passos mais longos, as formigas desse grupo erravam a conta e ultrapassavam o buraco do formigueiro. Em outro grupo de formigas, os cientistas diminuíram o comprimento das patas através de uma amputação parcial. Por causa dos passos curtos, essas formigas paravam antes de chegar ao formigueiro.

E, por último, os cientistas colocaram a "perna de pau" em formigas que acabavam de sair do formigueiro. Nesse caso, como elas contavam os passos maiores tanto na ida quanto na volta, o efeito da perna de pau se anulava e elas eram capazes de voltar com precisão ao formigueiro.

A conclusão foi que o mecanismo de orientação das formigas é capaz de contar passos e integrar esse dado ao da direção em que elas caminharam. Nada mau para o cérebro relativamente simples de uma formiga.

Mais informações: "The ant odometer: stepping on stilts and stumps. Science, *vol. 31, p. 1965, 2006.*

8. A bússola no cérebro dos morcegos

Para se orientarem, pilotos de aviões se valem de mapas, bússolas, estações de rádio e informações fornecidas pelos controladores de voo. As aves migratórias também possuem uma capacidade sofisticada de orientação. Algumas são capazes de voltar ao mesmo rochedo depois de passar meses em outro continente. Os métodos utilizados pelas aves para se orientarem durante o voo vêm sendo investigados há anos. Sabe-se que elas utilizam imagens memorizadas (tanto do solo quanto da posição das estrelas no firmamento) e combinam esses dados com os obtidos através de uma bússola interna capaz de detectar a orientação do campo magnético da Terra.

Os morcegos também são capazes de voltar a suas cavernas quando transportados para outros locais, mas até agora não se sabia como eles se orientavam. O fato de voarem no escuro dificulta o estudo de suas rotas de voo. Seu sistema de ecolocalização, ótimo para detectar obstáculo no escuro, é de pouca utilidade em voos de longa distância, e sua acuidade visual é pequena. Agora parte do mistério foi resolvida por um experimento simples, mas tecnologicamente sofisticado.

Para mapear a rota de seu voo, os morcegos foram capturados e equipados com um minúsculo radiotransmissor. Utilizando pequenos aviões, foi possível captar os sinais de rádio emitidos pelos morcegos durante o voo e, através de um método de triangulação, determinar a posição de cada animal a cada instante. A partir desses dados, foi possível reconstituir a rota exata do voo.

Os cientistas capturaram quinze morcegos da espécie *Eptesicus fuscus* e os transportaram para uma estação experimental vinte quilômetros ao norte do local de captura. Cinco morcegos equipados com rádios foram soltos no início da noite sem ter passado por nenhuma preparação. Os outros dez morcegos foram colocados em um campo magnético desde um pouco antes do pôr do sol até o início da noite: cinco foram submetidos a um campo magnético orientado a noventa graus (sentido horário) do campo magnético da Terra, enquanto os outros cinco a um campo magnético orientado a noventa graus no sentido anti-horário. Depois, todos os morcegos foram soltos e sua rota de voo foi determinada através dos sinais de rádio.

O que se observou é que os morcegos que não haviam sido submetidos ao campo magnético artificial imediatamente se dirigiam ao sul, rumando "para casa" em uma rota direta. Os morcegos submetidos aos campos magnéticos iniciaram seus voos ou em direção ao leste (se o campo magnético tivesse sido movido no sentido horário) ou ao oeste (se o campo magnético tivesse sido movido no sentido anti-horário). Esses dois grupos de morcegos mantiveram a rota "errada" por no mínimo cinco quilômetros. Após essa distância, alguns "perceberam o erro" e rumaram para o sul, mas a maioria continuou voando na direção "errada".

Esse experimento demonstra que os morcegos possuem alguma maneira de captar o campo magnético da Terra e utilizar essa informação para determinar em que direção devem voar. Isso sugere que nossos parentes morcegos (somos todos mamíferos) possuem uma verdadeira bússola no cérebro. Onde ela se localiza e como funciona ainda é um mistério.

Mais informações: "Bat orientation using Earth's magnetic field". Nature, *vol. 444, p. 702, 2006.*

9. O galope do vampiro

O uso de técnicas de filmagem para estudar o movimento dos animais começou no século XIX, antes da invenção do cinema propriamente dito. Leland Stanford, fundador da Universidade de Stanford, criava cavalos de corrida. Em 1872, Stanford contratou Eadweard Muybridge, um pioneiro da fotografia, para comprovar que durante o galope de um cavalo havia um momento em que as quatro patas ficavam no ar. Quatro anos depois, utilizando cinquenta câmeras fotográficas, disparadas pelo galope do cavalo, Muybridge conseguiu obter um "filme" que confirmou a suspeita de Leland e que acabou por contribuir para o surgimento do cinema. Desde então, os filmes têm sido usados para entender o movimento de animais. A nova descoberta nesse campo é a descrição do galope dos vampiros.

A maioria dos mamíferos se movimenta utilizando simultaneamente as quatro patas. Em baixa velocidade, os animais se deslocam em três tempos. Primeiro, colocam uma pata à frente, transferem o peso do corpo para essa pata, depois colocam a segunda pata para a frente, e assim por diante. Em alta velocidade, utilizam as patas traseiras para impulsionar o corpo para cima e para a frente. O animal fica totalmente no ar por um instante e depois pousa sobre as patas dianteiras, que têm como função sustentar o peso do corpo até que as patas traseiras possam novamente impulsioná-lo. O objetivo desses movimentos é fazer com que a maior parte da força seja feita pelo quadril posterior, em geral mais musculoso.

Nos morcegos, os membros anteriores, por terem se transformado em asas, são muito mais musculosos que os traseiros. Até recentemente nunca se imaginou que um morcego, além de voar, também corresse com as quatro patas. Qual não foi a surpresa dos cientistas ao verificarem que uma espécie de vampiro "galopava" no solo a uma velocidade de até 7,2 km/hora utilizando as quatro patas. Mas qual seria seu método, já que suas patas posteriores são atrofiadas? Uma câmera de vídeo e uma esteira elétrica resolveram o problema. O filme do galope do vampiro é extremamente interessante. Tal como um cavalo, o vampiro utiliza os membros mais musculosos para impulsionar o corpo e os menos musculoso para "pousar". O problema é que o membro mais musculoso é o anterior (as asas), o que faz com que o movimento do animal seja no mínimo exótico. Imagine um sapo em que as patas traseiras trocaram de posição com as dianteiras. Ele usa as asas para impulsionar o corpo para diante e depois se dobra utilizando os músculos abdominais para colocar as patas traseiras na frente das asas e sustentar o peso do corpo até que as asas possam impulsioná-lo novamente. É muito estranho, mas funciona e é o suficiente para que ele possa alcançar suas vítimas e chupar seu sangue. Como a arte imita a vida, em breve os filmes de horror mostrarão mocinhas perseguidas por enormes vampiros corredores.

O galope do vampiro é um exemplo do que se chama de convergência, ou seja, o aparecimento de uma mesma característica em diferentes grupos de animais. Esse vampiro parece ter encontrado uma maneira de resolver o problema de como correr invertendo a função das patas.

Mais informações: "Independent evolution of running in vampire bats". Nature, *vol. 434, p. 292, 2005.*

10. Uma nova forma de alimentar filhotes

Um problema que aflige todos os seres vivos é como manter os filhos alimentados, para que eles sejam capazes de ir em busca de sua própria comida. As soluções encontradas na natureza variam muito, do amido que fornece a energia para a germinação das sementes de feijão ao leite que alimenta os filhotes dos mamíferos. Agora um fenômeno inusitado foi descoberto em um anfíbio que vive no Quênia: os filhotes se alimentam da pele da própria mãe.

O ato de procriar envolve dois desafios. O primeiro é encontrar um parceiro e convencê-lo a ceder seus genes. Consumada a fecundação, surge o segundo problema: manter o embrião alimentado durante seu desenvolvimento. Nos animais que botam ovos, como as galinhas, o alimento é produzido pela mãe (a clara e a gema) e já vem empacotado dentro da casca com o embrião. Alguns insetos põem seus ovos no interior de frutos, de modo que, ao nascer, a larva já se encontre cercada de alimento. Outros enterram a comida com os ovos.

Nos humanos existem dois órgãos responsáveis por essa função. Durante a gestação, o alimento é fornecido pela placenta, que permite ao feto se nutrir de substâncias produzidas pela mãe. Após o parto, as glândulas mamárias assumem a função. Em ambos os casos, o filho se alimenta de material produzido especialmente para essa finalidade. Apesar de o alimento constituir uma parte do corpo da mãe, ninguém classificaria o aleitamento como uma forma disfarçada de canibalismo.

Mas veja o comportamento da cobra-cega *Boulengerula taitanus*, um anfíbio estudado pela pesquisadora Marta Antoniazzi, do Instituto Butantan, de São Paulo, em colaboração com cientistas europeus e americanos. Após o nascimento, os filhotes utilizam seus pequenos dentes para morder e devorar a pele da mãe. Os cientistas observaram que mesmo na ausência de alimentos os filhotes aumentam de peso e de comprimento, enquanto a mãe perde peso, o que confirma que os filhotes se alimentam do corpo dela.

Intrigados com a cor pálida da pele das mães que alimentavam seus filhotes, os cientistas procuraram investigar o que estava ocorrendo e descobriram que a cor alterada se devia ao fato de as células da pele de mães em "amamentação" serem maiores e conterem em seu interior grânulos de gorduras e outras substâncias nutritivas. Isso demonstra que, após o nascimento dos filhos, a pele da mãe se modifica, aumentando sua capacidade nutricional. A prova final veio de filmagens em que foi possível documentar os filhotes arrancando bocados da mãe com seus pequenos dentes.

Os resultados sugerem que nesses animais a pele da mãe se transforma numa forma primitiva de glândula mamária. O que parecia um ato de canibalismo revelou-se uma solução original para a alimentação da geração seguinte.

Durante a evolução, a seleção natural propiciou o aparecimento de diversas formas de uma geração doar parte de seu corpo para garantir a sobrevivência dos descendentes. Muitos seres vivos se alimentaram, em algum momento, do corpo de seus pais.

Mais informações: "Parental investment by skin feeding in caecilian amphibian". Nature, *vol. 440, p. 926, 2006.*

11. Autofagia é um mecanismo natural

É comum que, pelo menos uma vez na vida, as pessoas passem por uma crise alimentar, dando-se conta de que sua sobrevivência depende em muito de uma mudança radical na alimentação. Você não se lembra, mas, diante de uma situação difícil como essa, todos nós praticamos a autofagia, e ela ocorreu em nosso primeiro dia de vida.

No útero, o feto tem poucas preocupações. Seus pulmões estão cheios de líquido e não são responsáveis por absorver oxigênio ou secretar gás carbônico. A alimentação vem pelo cordão umbilical, dispensando o funcionamento da boca, do estômago ou do intestino. A temperatura do corpo é garantida pela piscina aquecida de líquido amniótico. As doenças são mantidas à distância pela placenta. O feto fica ali, feliz e despreocupado, apenas treinando seus chutes. Mas em questão de horas tudo muda.

O útero se contrai, expulsando a criança. O fluxo de alimentos e oxigênio se interrompe instantaneamente com a oclusão do cordão umbilical. O ar esfria o corpo e expõe a criança a vírus e bactérias. É preciso se adaptar rapidamente, ou a morte é certa.

Os pulmões necessitam se encher de ar para garantir a respiração. A temperatura do corpo precisa ser regulada, a boca tem que mamar e o intestino, absorver alimento. O choro dá o alerta: estou com fome.

A maneira como o feto se prepara e responde aos desafios da vida extrauterina é bem conhecida e amplamente estudada, mas agora surgiu uma novidade. Um grupo de cientistas japoneses descobriu que um pouco antes do parto o organismo do feto desencadeia um violento processo de autofagia. Passamos a digerir a nós mesmos. Para isso, utilizamos um mecanismo que normalmente destrói células mortas. A autofagia degrada células do fígado, dos músculos e parece ocorrer em quase todos os órgãos, liberando seus constituintes para servirem de alimento. Essa destruição prossegue até que o recém-nascido consiga se alimentar. Quando começa a mamar, a autodestruição é interrompida.

A autofagia seria uma forma de o recém-nascido garantir sua alimentação no período entre o colapso do cordão umbilical, quando a mãe deixa de alimentar o feto através da placenta, e a primeira mamada, quando ela recomeça a nutrir a criança com leite.

Para testar essa hipótese, os japoneses criaram camundongos transgênicos, dos quais retiraram um dos genes necessários para a autofagia. Quando deixados sem alimentação, os camundongos sobreviveram no máximo doze horas após o parto, metade do tempo que um camundongo normal sobrevive em tais condições. Esse resultado confirma que o processo de autofagia prolonga o tempo que o recém-nascido pode esperar até que a mãe possa alimentá-lo. É como se fosse um *no-break*, que mantém o computador funcionando quando um raio desliga a luz e você está tateando no escuro tentando religar o disjuntor.

Essa descoberta talvez ajude as mães ansiosas a terem um pouco de paciência e insistirem na amamentação natural de seus filhos. Afinal, parece que os recém-nascidos "sabem" que muitas vezes vão ter de esperar um pouco pelo leite materno. O interessante é que a autofagia é ativada mesmo antes de a criança "saber" se vai ter dificuldade em achar o peito materno. A natureza é sábia: "Seguro morreu de velho".

Mais informações: "The role of autophagy during the early neonatal starvation period". Nature, *vol. 432, p. 1032, 2004.*

12. Os chimpanzés e seu sistema de recrutamento

Colaborar é unir esforços para a resolução de um problema. Apesar de muitas observações sugerirem que os chimpanzés colaboram entre si durante caçadas, nunca se haviam observado chimpanzés recrutando colaboradores. Por esse motivo muitos cientistas acreditavam que a verdadeira colaboração, que envolve a decisão de recrutar um colaborador, só existia entre seres humanos. Agora uma série de experimentos demonstra que os chimpanzés são capazes não só de decidir quando um problema exige o recrutamento de um colaborador como de selecionar o melhor colaborador para a tarefa.

Imagine uma jaula. Do lado de fora dela coloca-se uma tábua com bananas. Nas duas extremidades da tábua, existem argolas por onde passa uma corda. As duas pontas da corda estão no interior da jaula. Se o chimpanzé puxar somente uma ponta da corda, ela corre pelas argolas, ele fica com a corda na mão, mas não consegue trazer as bananas para perto de si. Para trazer as bananas, ele precisa puxar simultaneamente as duas pontas da corda.

Agora imagine duas situações. Na primeira, cada ponta da

corda está a meio metro da outra. Se o chimpanzé puxar uma ponta e outra da corda com cada mão, poderá recolher as bananas sozinho, dispensando o colaborador. Na segunda situação, as duas pontas da corda estão a três metros uma da outra. É impossível puxar cada ponta com cada uma das mãos. Se o chimpanzé quiser as bananas, terá de pedir ajuda.

O potencial ajudante é outro chimpanzé, que está em uma jaula adjacente, separado do primeiro apenas por uma porta. Se esse chimpanzé quiser ajuda, terá de usar uma chave para abrir a porta e deixar o colega entrar na sua jaula, onde estão as pontas da corda.

Quando um chimpanzé se defronta com cordas a uma curta distância, ele aprende depressa a puxar suas duas pontas simultaneamente e a recolher as bananas sem ajuda. Ele nunca tenta abrir a porta para liberar o companheiro; recolhe a comida e come tudo sozinho.

Agora, se ele se vê diante de cordas colocadas a uma grande distância, logo aprende a avaliar o limite acima do qual precisa de colaboração, entendendo que, sozinho, não conseguirá recolher as bananas. Depois de algum tempo, aprende a abrir a porta e a soltar o companheiro. Juntos eles acabam obtendo a comida, que é compartilhada por ambos.

Para complicar o experimento, os cientistas colocaram dois companheiros em duas jaulas distintas de modo que o chimpanzé poderia escolher que companheiro iria recrutar, abrindo a porta e dando-lhe acesso a sua própria jaula.

Nesse novo experimento, foi possível demonstrar que o companheiro recrutado era sempre o que havia se mostrado mais hábil nas tentativas anteriores. Por exemplo, se um companheiro puxa a corda rápido demais, no futuro ele não será escolhido para ajudar.

Esses experimentos demonstraram que o chimpanzé é capaz

de decidir se pode ou não resolver um problema sozinho. Caso necessite de ajuda, é capaz de recrutar um companheiro. Além disso, comprovou-se que os chimpanzés são capazes de selecionar o colaborador mais capacitado.

Mais informações: "Chimpanzees recruit the best collaborators". Science, *vol. 311, p. 1297, 2006.*

V. MENTE

1. O gosto das palavras

Quando somos estimulados por um sentido, percebemos o estímulo através desse mesmo sentido. Se nos mostram uma imagem, "vemos" a imagem, se colocam um chocolate em nossa boca, sentimos "gosto" de chocolate. Entretanto, um reduzido número de pessoas tem seus sentidos cruzados. Algumas, quando ouvem uma nota musical, "veem" uma cor. Outras, quando ouvem uma palavra, sentem determinado gosto. Pela primeira vez um experimento permitiu dissecar quando o cérebro realiza essas associações cruzadas.

O experimento foi realizado com seis pessoas que associavam palavras a gostos. Essas pessoas "sentiam" um gosto quando pronunciavam uma palavra. Quando mostrada a elas a figura de um chocolate, elas falavam a palavra "chocolate" e sentiam gosto de chocolate. Esse efeito ocorria também com outras palavras que possuíam sílabas semelhantes. Quando mostrada a figura de um chocalho ou de um cachalote, no momento em que elas pronunciavam a palavra associada à imagem, elas sentiam o gosto de chocolate.

Para cada uma dessas seis pessoas, os cientistas selecionaram, então, centenas de imagens, cada uma associada a uma palavra e a um gosto. Quando as pessoas viam uma cartela, a identificavam pronunciando a palavra e informando o respectivo gosto. Uma vez completada essa enorme tabela que relacionava figuras, palavras e gostos, os cientistas mandaram as pessoas para casa.

Passados vários meses, todos foram convidados a voltar ao laboratório e a identificar a palavra associada a cada figura. Na maioria dos casos, a palavra associada à imagem foi lembrada facilmente e o gosto confirmado. Entretanto, em 89 casos, as pessoas não se lembraram de imediato da palavra, como é comum acontecer quando tentamos nos lembrar do nome de alguém; costumamos dizer que a palavra está na ponta da língua, mas não nos lembramos dela. Desses 89 casos, em quinze ocasiões os participantes nunca chegaram a se lembrar da palavra, enquanto nas outras 74 vezes eles se lembraram da palavra passados alguns minutos. Quando ocorria esse lapso de memória, os cientistas perguntavam à pessoa se apesar de não se lembrar da palavra ela sentia algum gosto. Na maioria dos casos, elas disseram "sentir" o gosto "correto" mesmo não se lembrando da palavra.

Esse resultado demonstra que a associação cruzada ocorre antes de a palavra estar disponível no cérebro para ser pronunciada. Provavelmente é o momento em que o cérebro associa a imagem a um conceito existente na memória, porém antes de ele ser associado a uma palavra. É fácil de entender: imagine duas pessoas que falam línguas diferentes. Mostramos a elas a figura de uma vaca. Ambas vão associar a imagem à lembrança de um animal com chifre; um brasileiro, por exemplo, associará a imagem à palavra "vaca" e um inglês à palavra "*cow*". O que esse experimento parece demonstrar é que existe uma etapa no processamento da memória que ocorre antes de a memória ser associada a uma palavra. É nessa etapa que em tais pessoas a informação retirada da memória é associada, de maneira cruzada, a um sabor.

É com experimentos como esse que os cientistas vão aos poucos dissecando o funcionamento do cérebro humano.

Mais informações: "The taste of words on the tip of the tongue". Nature, *vol. 444, p. 438, 2006.*

2. A sensação de sair do próprio corpo

Uma das sensações descritas por pessoas que vivenciaram situações próximas à morte é a de "sair do próprio corpo", como se percebessem o corpo sobre a cama enquanto seu espírito se desprende dele. Nos filmes, essa sensação costuma ser mostrada como um segundo corpo se separando do primeiro e partindo para a eternidade.

Alguns pacientes psiquiátricos ou pessoas com doenças neurológicas sentem a proximidade de outra pessoa sem que ela realmente exista, e até atribuem suas ações a esse ser virtual. Pessoas sadias muitas vezes sentem a aproximação de alguém, viram-se para vê-lo e em seguida concluir que não há ninguém nas proximidades.

Agora um grupo de cientistas suíços descobriu uma área do cérebro humano que, quando estimulada, provoca a ilusão de que existe uma segunda pessoa muito próxima de nós.

A descoberta foi feita em uma paciente de 22 anos que sofria de epilepsia. Muitos casos de epilepsia são resultantes de um foco de "irritação" no cérebro. A partir do local em que se situa o foco, uma onda de atividade elétrica se espalha pelo cérebro, provocando os surtos epiléticos.

Nos casos mais graves, quando o tratamento com remédios não surte efeito, a solução é submeter o paciente a uma cirurgia para remover o pequeno pedaço do cérebro onde está o foco da irritação. Técnicas modernas permitem que se localize exatamente o foco epilético, o que possibilita a remoção de uma quantidade pequena de tecido nervoso, assegurando que os efeitos colaterais da cirurgia sejam mínimos.

Para garantir que nenhuma parte importante do cérebro seja retirada junto com o foco da epilepsia, durante a operação, com o cérebro já exposto, o paciente é despertado da anestesia. Nesse momento, o cirurgião estimula a superfície do cérebro em volta da área que pretende retirar e o paciente vai descrevendo o que sente. Esse mapeamento final garante que somente o foco epilético seja removido. Como não há receptores para dor no cérebro, o paciente nada sente.

A descoberta da sensação da proximidade de outra pessoa se deu numa cirurgia desse tipo, feita na paciente epilética de 22 anos. Quando os médicos estimularam um ponto do hemisfério esquerdo de seu cérebro, ela relatou que sentia outra pessoa deitada debaixo dela. Os médicos levantaram a cabeceira da cama, a colocaram sentada e então repetiram o estímulo no mesmo ponto. Então a paciente relatou sentir uma segunda pessoa, abraçando-a por trás, e que a sensação era muito desagradável. Por fim, pediram que ela escrevesse algo em um papel enquanto estimulavam sua região cerebral. A paciente descreveu que a "pessoa" a abraçava, interferia em sua escrita e não a deixava ler o que escrevia. O foco epilético foi enfim removido e a paciente foi totalmente curada.

Os cientistas acreditam que essa área do cérebro está relacionada com a capacidade de perceber a presença de nosso próprio corpo e de separar o que é nosso corpo do que é o corpo de outra pessoa. A descoberta não somente abre a possibilidade de compreendermos como nosso cérebro separa o "eu" do "não eu" como também nos ajuda a explicar por que em certas situações ocorre a ilusão de estarmos deixando nosso corpo.

Mais informações: "Induction of an illusory shadow person". Nature, *vol. 443, p. 287, 2006.*

3. O cego que enxerga emoções

Lesões cerebrais nos ajudam a entender o funcionamento da mente humana, compensando a impossibilidade ética de submeter o cérebro a experimentos. Esse tipo de estudo teve um grande avanço durante a Segunda Guerra Mundial, quando balas de alta velocidade deixaram muitos soldados com lesões cerebrais localizadas. A correlação entre o local da lesão e seu efeito sobre o comportamento permitiu mapear a função de diversas regiões do cérebro. Mais recentemente, esses estudos têm sido feitos em pacientes com tumores e derrames cerebrais.

Um caso recente ilustra o poder dessa abordagem. Após sofrer dois derrames cerebrais, o médico R. N. ficou totalmente cego. Quando fotografias de pessoas expressando raiva ou alegria eram colocadas na sua frente, ele conseguia "adivinhar" o sentimento expresso no rosto da pessoa fotografada, mesmo sendo incapaz de ver as fotos. A explicação do que ocorria no cérebro de R. N. é extremamente interessante.

Normalmente dizemos que "estamos vendo" quando o cérebro apresenta à consciência a informação visual. Mas nem todos os estímulos visuais são levados até a consciência. Um exemplo são as memórias subliminares, que se formam quando se mostra a uma pessoa uma imagem por um espaço de tempo muito curto. Apesar de a pessoa não ver a imagem, ela fica retida na memória, podendo depois ser reconhecida.

O aparato que nos permite ver tem diversos componentes, cada um com seu papel. Primeiro a informação é captada pela retina, onde é parcialmente processada. Em seguida, é enviada ao cérebro através dos nervos ópticos. No cérebro, a informação vinda de cada olho é combinada e processada. Finalmente, essa informação é disponibilizada para a consciência. É só nesta última etapa que se pode afirmar estar "vendo" uma imagem.

No paciente R. N., a retina e o nervo óptico funcionavam normalmente. Parte do processamento visual também devia ocorrer, mas a imagem não era apresentada à consciência, caracterizando a cegueira. O que ocorre é que parte da informação visual é transmitida para outra região do cérebro, relacionada com o processamento das emoções. Essa região de alguma forma disponibiliza a informação referente às emoções expressas nas fotografias para a "consciência", que recebe a informação sobre a emoção sem a imagem correspondente. Deste modo, R. N., apesar de não enxergar a imagem, era capaz de dizer que emoção ela expressava. Utilizando técnicas de ressonância magnética, foi possível identificar o local do cérebro ativado quando R. N. percebia o tipo de emoção representado nas fotografias.

Esse estudo demonstra que a informação coletada pelo olho é dividida em partes e processada em diferentes regiões do cérebro e que cada parte dessa informação chega à consciência por um caminho diferente. O caso também sugere que o cérebro é capaz de extrair informação sobre sentimentos de imagens visuais e de alguma maneira transmitir seu conteúdo à consciência. A palavra "intuição" talvez reflita essa capacidade de "ver" sentimentos.

Mais informações: "Discriminating emotional faces without primary visual cortices involves the right amygdale". Nature Neuroscience, *vol. 8, p. 24, 2005.*

4. Está na cara, você não vê

O verso "está na cara, está na cura" (da música "Está na cara, está na cura", de Gilberto Gil) descreve muito bem os sintomas da paciente S. M. Apesar de ter o sentido da visão preservado, ela é incapaz de reconhecer o medo estampado na face das pessoas.

Muito antes de surgir a fala, os macacos já tinham desenvolvido a capacidade de se comunicar por meio de expressões faciais. Essa linguagem está de tal modo preservada que nós, humanos, percebemos sentimentos de medo ou de raiva na face de outros primatas. Mesmo dispondo da linguagem falada, o homem utiliza, involuntariamente, expressões faciais que transmitem seus sentimentos. Contrair os músculos faciais de determinada maneira indica, por exemplo, medo, e outra pessoa que olhe para essa face alterada é capaz de identificar ali o sentimento de medo. Por causa desse mecanismo é que é tão difícil ocultar nossos sentimentos.

Em 1994, a equipe de António Damásio estudou uma paciente que, após sofrer um derrame, se tornou incapaz de identificar os sentimentos estampados nas feições humanas. S. M. conseguia expressar sentimentos por meio da fala ou compreender cenas que envolviam sentimentos, mas demonstrava grande dificuldade para distinguir sentimentos no rosto das pessoas. A dificuldade era ainda maior com a expressão de medo. Em 1994, a causa dessa dificuldade não pôde ser determinada.

Dez anos depois, porém, surgiu uma explicação para os sintomas de S. M. Os pesquisadores utilizaram um equipamento de raios infravermelhos capaz de acompanhar o movimento da pupila de uma pessoa quando ela olha para um objeto. Desse modo é possível mapear no objeto o local exato que o olho está mirando a cada instante. Macacos, crianças de mais de sete semanas de vida e pessoas adultas "olham" a face de outra pessoa da mesma maneira: primeiro o olho se dirige para a região dos olhos, saltando de um olho para o outro várias vezes; depois se dirige para a região da boca; e por último contempla o nariz. Esse padrão parece ser universal. Quando pesquisadores, utilizando o mesmo equipamento de infravermelho, investigaram como S. M. "olhava" o rosto das pessoas, descobriram que ela não olhava para a região dos olhos, mas se concentrava principalmente no nariz e na boca. Como o medo é expresso por meio de alterações na região dos olhos, com mudanças faciais como olho arregalado e sobrancelhas levantadas, S. M. era incapaz de perceber as expressões de medo.

Se isso é verdade, o que acontecia quando S. M. era explicitamente instruída a olhar para a região dos olhos? Mostrava-se capaz de identificar as expressões de medo. Entretanto, se a instrução não era repetida de forma constante, S. M. deixava de se focar na região dos olhos e perdia novamente a capacidade de perceber o medo na face das pessoas.

O caso de S. M. mostra que muitas vezes quadros aparentemente complexos têm explicações simples, um alívio para quem nutre a esperança de compreender a complexidade da mente humana.

Mais informações: "A mechanism for impaired fear recognition after amygdala damage. Nature, *vol. 433, p. 68, 2005.*

5. Braços fantasmas e o fetiche do pé

Pessoas que têm o braço amputado muitas vezes desenvolvem um membro fantasma; continuam a sentir a presença do braço que não existe mais, controlam e até sentem seus movimentos. Sofrem dores e cócegas. Durante décadas se acreditou que esse fenômeno era causado pelas cicatrizes nos nervos secionados ou por distúrbios psicológicos.

Hoje se sabe que grande parte desses efeitos se deve a uma reorganização do cérebro induzida pela amputação. Durante esses estudos, descobriu-se, ainda, indiretamente, uma possível explicação para o fetiche sexual que muitos seres humanos sentem pelos pés, a podolatria.

Durante as décadas de 1940 e 1950, um cirurgião chamado Penfield operou o cérebro de pacientes conscientes. Durante a cirurgia, ele tocava na superfície do córtex cerebral e perguntava ao paciente o que ele estava sentindo. Foi assim que Penfield descobriu uma área no cérebro na qual cada ponto causava sensações em determinada parte do corpo. Quando ele tocava certo ponto, o paciente sentia o nariz, quando tocava outro ele sentia os lábios ou os órgãos genitais. Assim, Penfield conseguiu "desenhar" sobre essa região do córtex cerebral um mapa sensorial do corpo humano. O mapa é similar ao desenho de uma pessoa na qual as áreas mais sensíveis ao tato, como os dedos, são proporcionalmente maiores que áreas menos sensíveis, como os braços.

Na década de 1990, Vilayanur S. Ramachandran começou a estudar as características dos braços fantasmas. Ele deitava os pacientes, vendava seus olhos e passava um cotonete sobre diferentes partes do corpo deles. Quando o cotonete corria pelas pernas, o paciente dizia sentir a perna; quando era passado na barriga, dizia sentir a barriga. Tudo normal. Até que ele passou o cotonete na bochecha. Aí o paciente disse que sentia a bochecha e o membro fantasma.

Ramachandran verificou os mapas sensoriais construídos por Penfield e descobriu que, neles, a região da bochecha era adjacente à do braço. Ele então postulou que, na ausência do braço, a região do cérebro que normalmente correspondia a esse membro se reorganizava, sendo "invadida" por uma expansão da região vizinha, no caso a área ligada à bochecha. Portanto, sempre que o paciente mexia a face, o cérebro "sentia" o braço, criando o fantasma. Desde então, esses pacientes passaram a ser capazes de "coçar" o braço fantasma, bastando para isso acariciar a bochecha.

E que região faria as vezes de uma perna amputada? No mapa de Penfield, a região vizinha à perna é a representada pelos órgãos sexuais. Testes com indivíduos com pernas amputadas confirmaram que esses pacientes sentiam prazer nos membros fantasmas quando estavam sexualmente excitados. O fenômeno inverso confirma a observação: pessoas que tiveram o pênis amputado por causa de tumores sentem o órgão amputado quando estimuladas nos pés. A proximidade entre a região que "sente" os pés e a que "sente" os órgãos sexuais sugere que em alguns indivíduos os sinais dessas duas áreas podem se misturar, resultando no fetiche sexual relacionado com os pés.

Esses resultados levaram ao desenvolvimento, mais tarde, de um método capaz de "amputar" os membros fantasmas, fazendo desaparecer a dor psíquica que eles infligem aos pacientes.

Mais informações: Phantoms in the brain, *de V. S. Ramachandran, Harper Collins, Nova York, 1998.*

6. Fazendo contas sem números

Será que você seria capaz de fazer contas se na língua que você falasse não houvesse palavras para designar números? O ato de pensar está tão associado às palavras que utilizamos para expressar o pensamento que alguns pesquisadores acreditam que sem linguagem não existiria pensamento. Outros discordam e acreditam que mesmo animais desprovidos de linguagem são capazes de pensar. Como é impossível estudar pessoas criadas sem o aprendizado de uma língua, a solução é estudar populações que utilizam línguas extremamente simples.

Os índios piraãs, que vivem na Amazônia, falam uma língua na qual só existem três palavras para designar números. "Hói" quer dizer um, "hoí" quer dizer dois e "aíbaagi" significa muitos. Já os mundurucus do sul do Pará utilizam palavras para os números de um a cinco, além da palavra "ade" (muitos). Dois estudos recentes avaliaram a capacidade de essas pessoas executarem tarefas que dependem de raciocínios matemáticos.

Imagine: você se senta na frente de um índio piraã e pede que ele repita o que você está fazendo. Se você desenhar dois riscos na areia, 100% deles são capazes de desenhar os dois riscos. Se você desenhar cinco riscos, só 50% traçam o número correto de riscos. Mais de seis riscos, e quase ninguém desenha o número correto. Agora os índios mundurucus: você apresenta a eles seis sementes e as coloca em um frasco. Depois, mostra que retirou quatro sementes do frasco. Sem deixar que eles vejam quantas sobraram no frasco original, você pede que escolham, entre três frascos (contendo respectivamente uma, duas e três sementes), aquele com um número de sementes igual ao das que sobraram no frasco original. Nesse experimento, se o número total de sementes for menor que cinco, os mundurucus escolhem o frasco correto tão bem quanto um francês adulto, mas, se você aumentar o número de sementes, a taxa de acerto cai rapidamente.

Nas tarefas em que é necessário fazer a conta e obter um resultado preciso, os mundurucus enfrentam dificuldades quando o número de objetos ultrapassa cinco. O interessante é que, em operações matemáticas que não dependem de resultados precisos, os índios mostram-se tão competentes quanto os franceses. Se a tarefa envolve examinar rapidamente dois conjuntos de sementes (de até oitenta unidades) e decidir qual deles contém mais sementes, os índios acertam com a mesma frequência que os franceses, provando que para tarefas como essas o cérebro não necessita da linguagem para fazer o raciocínio.

Esses estudos indicam que mesmo sem dispor de uma linguagem numérica o cérebro humano é capaz de efetuar operações matemáticas. Uma linguagem numérica sofisticada só parece ser necessária para o cérebro executar operações aritméticas mais elaboradas e precisas. Isso sugere que a matemática utiliza habilidades quantitativas presentes no cérebro humano muito antes de o homem desenvolver uma linguagem sofisticada.

Mais informações: "Numerical cognition without words: evidence from Amazonia". Science, *vol. 306, p. 496, 2004.*

Vídeo: http://www.sciencemag.org/cgi/content/full/1094492/DC1.

7. Aprendizado na ausência de memória

Para muitos, "aprender" sempre significou armazenar conhecimentos na memória, que podem ser trazidos à consciência, "lembrados", no momento em que necessitamos deles. No entanto, um estudo recente demonstrou que pessoas que perdem completamente a capacidade de memorizar ainda assim são capazes de aprender.

Imagine o seguinte experimento: mostramos a uma pessoa pares de objetos (por exemplo, um copo e um prato). Embaixo do copo escrevemos a palavra "certo" e embaixo do prato a palavra "errado". Colocamos os dois objetos na frente da pessoa e informamos que ela deve descobrir qual objeto do par é o "certo". Na primeira tentativa ela acerta 50% das vezes. Como não pode adivinhar qual é o objeto "certo", escolhe ao acaso. Mas na segunda vez ela já se lembra (aprendeu) que o "certo" é o copo. Se usarmos oito pares de objetos, uma pessoa normal aprende a escolher sempre o objeto "certo" após três sessões. Além disso, se colocarmos sobre a mesa os dezesseis objetos dos oito pares e solicitarmos que ela separe os "certos" dos "errados", a tarefa será facilmente cumprida.

Esse teste foi aplicado em dois pacientes com amnésia. Em virtude de uma lesão na área do cérebro responsável pela memória, eles haviam perdido a capacidade de se lembrar de fatos novos. Apesar de incapazes de memorizar, eram capazes de entender instruções e de manter conversações. No primeiro dia de teste, eles receberam as instruções e, como as pessoas normais, acertaram 50% dos pares. No segundo dia, quando o exercício foi novamente proposto, eles não se lembravam de que haviam feito o teste ou do que deveriam fazer naquele momento.

Os cientistas, então, explicaram mais uma vez, e eles tentaram de novo. Durante dezoito semanas o teste foi repetido duas vezes por semana. Os cientistas observaram que aos poucos os pacientes foram melhorando seus resultados até atingir 100% de acerto, mesmo sem recordar que haviam feito o mesmo teste centenas de vezes. Quando questionados sobre por que selecionavam sempre o copo, a resposta era: "Não sei, mas tive uma vontade irresistível de escolher o copo". O interessante é que a escolha correta só ocorre se o teste for aplicado exatamente da mesma maneira. Após as dezoito semanas, quando já acertavam 100% dos pares, os pacientes foram apresentados aos dezesseis objetos simultaneamente e, ao contrário das pessoas normais, foram incapazes de separar os objetos "certos" dos "errados".

Esse experimento demonstra que o homem possui um mecanismo de aprendizado capaz de atuar na ausência total da memória declarativa (aquela que pode ser trazida à consciência). Esse tipo de aprendizado é rígido e não é generalizável para outras tarefas, como fica claro na experiência de reconhecimento simultâneo dos dezesseis objetos. Essa capacidade de aprendizado é semelhante à observada em macacos que aprendem a reconhecer palavras. Eles associam palavras a objetos, mas são incapazes de utilizar esse conhecimento para desenvolver uma linguagem. A memória declarativa é provavelmente uma das habilidades que separam o homem dos demais primatas. Esse estudo revela que os mecanismos primitivos de aprendizagem, herdados de nossos ancestrais, ainda se acham presentes em nosso cérebro.

Mais informações: "Robust habit learning in the absence of awareness and independent of the medial temporal lobe". Nature, *vol. 436, p. 550, 2005.*

8. Pessoas que não aprendem com seus erros

"Gato escaldado tem medo de água fria." Esse ditado resume o conceito de como se costuma aprender com uma experiência desagradável. Mas também é possível aprender com experiências agradáveis. É o que ocorre com uma criança que é elogiada toda vez que arruma sua cama. Na vida somos submetidos às duas formas de estímulo. Aprendemos com a punição que sofremos quando erramos e com as recompensas que recebemos quando acertamos. A novidade é que um grupo de cientistas alemães demonstrou que pessoas que têm no cérebro uma forma específica de determinado gene encontram maior dificuldade em aprender com seus erros (punição). O curioso é que elas aprendem com a mesma facilidade que o resto da população quando submetidas a estímulos positivos (recompensas). Essa é a primeira vez que se demonstra o efeito de um gene sobre nossa capacidade de aprendizado.

O gene em questão é o receptor de dopamina D2. Há tempos se sabe que a dopamina influencia o comportamento. Grande parte dos remédios contra depressão age alterando a quantidade de dopamina presente no cérebro. Todos nós possuímos duas cópias desse gene, mas algumas pessoas têm uma forma ligeiramente alterada dele. A forma alterada é chamada de A1. Pessoas com a forma A1, apesar de serem absolutamente normais, têm menos receptores de dopamina em algumas regiões do cérebro. É como possuir mais ou menos pigmento na pele, uma variação dentro da normalidade.

Os cientistas compararam doze pessoas que não possuíam a forma A1 (A1-) com catorze que possuíam a forma A1 (A1+). Todas foram submetidas ao seguinte teste: uma tela mostrava dois símbolos desconhecidos e o participante deveria escolher o símbolo "correto". De início a pessoa não sabia qual era o símbolo correto e tinha que escolher ao acaso. Quando acertava, era "recompensada" com o aparecimento na tela de uma face risonha (reforço positivo); se errava, aparecia uma cara tristonha (reforço negativo). Isso foi repetido centenas de vezes com três pares de símbolos, sendo que em cada par havia um símbolo "correto" e outro "errado". Após o treinamento, todos os participantes, independentemente de serem A1+ ou A1-, eram capazes de acertar com igual frequência o símbolo correto em cada um dos três pares. Numa segunda etapa do experimento, os seis símbolos foram novamente apresentados às pessoas, mas então misturados ao acaso e mostrados dois a dois. Nessa fase, os voluntários eram instruídos a evitar escolher os símbolos errados. O resultado surpreendeu. Os voluntários sem o gene alterado (A1-) foram capazes de evitar o símbolo errado em mais de 70% dos casos, enquanto as pessoas do tipo A1+ evitavam os símbolos errados em somente 50% das escolhas (o que praticamente equivale a uma escolha aleatória). Isso demonstra que essas pessoas têm dificuldade para aprender com reforços negativos.

O mais interessante é que tais resultados podem explicar uma correlação bem conhecida entre a redução da quantidade de receptores de dopamina e a propensão ao alcoolismo, ao abuso de drogas e ao jogo. O que se acredita é que esses indivíduos, por terem mais dificuldade em aprender com experiências negativas, ficam mais suscetíveis a esses distúrbios. Se for verdade, as implicações morais e judiciais dessa descoberta são enormes. Uma pessoa pode ser julgada culpada se seus genes a impedem de aprender com seus erros?

Mais informações: "Genetically determined differences in learning from errors". Science, *vol. 318, p. 1642, 2007.*

9. Crianças de seis meses já avaliam caráter

A capacidade de avaliar os outros é indispensável no convívio social. É com base nessa avaliação que concluímos se tal pessoa vai nos ajudar ou nos atrapalhar. A confiança é construída a partir desse julgamento. Seres humanos adultos fazem essa avaliação baseados na observação das atitudes do outro, tanto pelo convívio direto como observando seu comportamento com terceiros. Se vemos uma pessoa ajudando um idoso a atravessar a rua, a classificamos como "bem-intencionada". Se presenciamos um ato de agressão, tendemos a desconfiar do agressor. A maioria das pessoas reconhece que sua capacidade de avaliação é fruto do aprendizado resultante das diversas experiências acumuladas ao longo da vida. A novidade é que uma série de experimentos com crianças de seis meses demonstrou que elas também já são capazes de fazer esse tipo de julgamento.

O experimento é muito simples. Crianças de seis a dez meses, sentadas no colo de seus pais, são colocadas diante de um pequeno palco. Quando a cortina se abre, elas assistem a uma pecinha de teatro de menos de trinta segundos. No cenário há uma montanha. Na base da montanha, uma bola vermelha, com dois grandes olhos, tenta escalá-la. A cada tentativa, ela acaba escorregando e voltando para o pé da montanha. Em uma primeira versão da peça, neste momento surge um segundo personagem, agora um triângulo amarelo com dois olhos, que ajuda a bola vermelha a subir a montanha empurrando a bola ladeira acima (o colaborador). Com essa ajuda, a bola vermelha atinge o topo. Na segunda versão da peça, após diversas tentativas da bola de subir sozinha a montanha, surge um quadrado azul (o "atrapalhador"), que, cada vez que a bola tenta subir, a empurra de volta para baixo, garantindo que ela não atinja o alto da montanha.

Cada criança assiste às duas cenas diversas vezes até perder o interesse pelo que está ocorrendo no palco (em geral isso se dá depois de nove exibições). Nesse momento a cortina se fecha e os personagens colaborador e atrapalhador são colocados em uma bandeja e oferecidos à criança como um brinquedo. Em mais de 80% dos casos, as crianças escolhem o colaborador. Para garantir que esse resultado não estivesse sendo influenciado pela cor ou pela forma dos personagens, assim como pela direção em que eles exerciam sua função (da esquerda para a direita ou da direita para a esquerda), uma série enorme de outros testes foi realizada. Todos confirmaram o resultado principal: crianças de seis meses são capazes de distinguir personagens colaboradores de personagens atrapalhadores e, uma vez convidadas a optar por eles, preferem os "colaboradores".

Dois fatos são importantes nesse experimento. O primeiro: como as crianças nunca tinham vivido essa experiência, o experimento sugere que a capacidade de escolha já está codificada em nosso cérebro quando nascemos, o que corrobora a ideia de que parte de nossos códigos morais tem uma base biológica e foi selecionada para facilitar as interações sociais. O segundo: como a escolha é feita entre personagens que não interagem diretamente com a criança, o experimento demonstra que já aos seis meses somos capazes de avaliar o caráter de terceiros observando seus atos, sem precisarmos interagir com a pessoa avaliada.

Mais informações: "Social evaluation by preverbal infants". Nature, *vol. 450, p. 557, 2007.*

Vídeos: http://www.yale.edu/infantlab/socialevaluation/.

10. O cérebro não é uma folha de papel em branco

O ensino baseia-se na crença de que o ser humano possui um cérebro que pode ser comparado a uma folha de papel em branco. À medida que a pessoa é educada, pais e professores vão preenchendo essa folha em branco com informações e conhecimento. Nada mais errado.

Num sábado estava tomando café da manhã com meu filho de dois anos quando ele pegou uma colher. De repente notei que ele havia descoberto sua imagem refletida na face convexa da colher. Ele ficou mexendo a colher e olhando sua superfície até que a virou e examinou a face côncava. Suas sobrancelhas se moveram numa demonstração de espanto, talvez ao dar com a imagem de seu próprio rosto, agora de ponta-cabeça. Segurando a colher pelo cabo, várias vezes meu filho se mirou naquele espelho côncavo e convexo. Finalmente se concentrou na face interna. Parou e então fez o que me parecia impossível: ainda olhando sua imagem invertida, rodou o cabo da colher e dirigiu-o para o teto em vez de para o solo. Será que se frustrou ao não ter sucesso em corrigir a imagem invertida rodando a colher? Não sei, mas perdeu a paciência e atirou a colher no chão. Tudo não durou mais de um minuto.

Comportamentos como esse, normais em qualquer criança e descritos há décadas, são as raízes do pensamento científico. Primeiro somos estimulados por uma observação (a imagem no lado de fora da colher). Ao examinar o fenômeno, deparamos com algo estranho e inesperado (a imagem invertida de nosso rosto na face interna da colher). Confirmamos a observação (comparamos diversas vezes a imagem formada no lado interno com a imagem formada no lado externo). Lançamos uma hipótese para explicar o ocorrido (a imagem, que está de ponta-cabeça, pode ser corrigida se virarmos o cabo da colher para cima). Fazemos o experimento (viramos o cabo da colher para cima). O experimento demonstra que nossa teoria estava errada (a imagem não é corrigida). Frustração.

É claro que meu filho nunca leu Popper nem teve aulas sobre método científico, mas seu cérebro já possui o aparato mental necessário para elaborar esse tipo de raciocínio. Atualmente se acredita que já nascemos com essa capacidade. O mesmo ocorre com nossa capacidade para a fala (em que língua nos expressaremos vai depender do meio ambiente em que crescermos), assim como para efetuar operações matemáticas simples (foi demonstrado em bebês de três meses) e para dezenas de outras habilidades. Com o passar dos anos, biólogos e psicólogos têm demonstrado que ao nascermos nosso cérebro é exatamente o oposto de uma folha de papel em branco. O problema é que essa descoberta ainda não chegou ao sistema educacional.

Daqui a quinze anos meu filho vai ter uma aula de óptica em que as propriedades dos espelhos côncavos e convexos vão ser "ensinadas". Provavelmente ele será estimulado a fazer experimentos com espelhos, e as noções básicas do método científico lhe serão diligentemente ensinadas. É fácil prever que, como a maioria dos jovens, ele vai achar o assunto pouco interessante. Dificilmente seus professores verão em seus olhos o espanto que observei naquele sábado.

Do ponto de vista biológico, a educação pode ser resumida como a tentativa da sociedade de influenciar o funcionamento do cérebro de seus membros. Entender os mecanismos que regem o funcionamento e o desenvolvimento do órgão que estamos manipulando deveria ser uma das principais preocupações dos educadores. Infelizmente a pedagogia ainda está muito distante de tentar incorporar os progressos recentes da neurobiologia.

Mais informações: The Blank Slate. The modern denial of human nature, *de Steven Pinker, Viking, Nova York, 2002.*

11. Pensar modifica a estrutura do cérebro

É fácil aceitar a ideia de que a prática de exercícios aumenta o tamanho dos músculos e que a atividade cerebral leva ao acúmulo de conhecimentos em nossa mente. Apesar disso, a maioria das pessoas não acredita que o simples ato de pensar possa alterar a estrutura cerebral. Um dos experimentos clássicos que demonstram esse fenômeno envolve o aprendizado da arte de tocar piano.

No cérebro existem duas áreas que controlam o movimento dos dedos, uma para cada mão. O tamanho delas, que reflete o número de neurônios envolvidos na tarefa, pode ser medido usando-se um equipamento capaz de detectar a atividade elétrica na região. Foi com esse equipamento que os cientistas decidiram verificar o que ocorria quando uma pessoa aprendia a tocar piano. Pediu-se a um grupo de voluntários que praticasse, duas horas por dia, durante cinco dias, uma sequência de notas que exigia a utilização dos cinco dedos da mão direita. O objetivo era não cometer erros e seguir o ritmo de um metrônomo. Em cinco dias todos os "alunos", que inicialmente haviam trocado as notas e errado o ritmo, mostraram-se capazes de aprender a tocar a sequência sem erros e no ritmo do metrônomo. Todos os dias media-se o tamanho da área do cérebro responsável pelo controle dos movimentos dos dedos da mão direita. À medida que as pessoas melhoravam sua habilidade ao piano, a área que controla os movimentos da mão direita foi aumentando, enquanto a área responsável pelo controle da mão esquerda não se alterou. Isso demonstra que quando utilizamos intensamente uma área do cérebro nela ocorrem modificações de modo a acomodar a nova tarefa.

Não satisfeitos, os cientistas resolveram verificar se é necessário executar o movimento para que as alterações ocorram ou se basta imaginá-lo. Nesse experimento os voluntários foram submetidos à mesma rotina, mas instruídos a deixar as mãos imóveis sobre a perna e somente imaginar que estavam tocando com a mão direita, enquanto ouviam o metrônomo e olhavam para o teclado, tudo sem mover os dedos. Para garantir que não movessem as mãos, foram colocados eletrodos que alertavam os cientistas se os voluntários tentavam mexer os dedos. Depois de praticarem mentalmente durante cinco dias, duas horas por dia, a área que controla os movimentos foi medida. O surpreendente é que a área do cérebro que comanda a mão direita aumentou de tamanho mesmo na ausência de movimentos, demonstrando que somente o ato de imaginar o movimento dessa mão foi capaz de alterar a estrutura cerebral. Como era de se esperar, não foi observada nenhuma alteração na área que controla a mão esquerda. Esse experimento foi um dos primeiros a demonstrar que o simples ato de pensar intensamente e de maneira repetitiva pode provocar alterações na estrutura do cérebro.

As implicações dessa descoberta são enormes. Atualmente muitos cientistas acreditam na possibilidade de utilizar exercícios mentais para modelar nosso cérebro da mesma forma que utilizamos as academias para modelar nossos músculos. Ainda não se sabe se tais técnicas se mostrariam efetivas no tratamento de doenças mentais.

Mais informações em: "Modulation of muscle responses evoked by transcranial magnetic stimulation during the acquisition of new fine motor skills". J. Neurophysiology, *vol. 74, p. 1037, 1995.*

12. Eleições: indecisos que não sabem que já decidiram

Imagine que num futuro próximo você precise tomar a decisão de escolher um candidato a prefeito. Será possível que seu cérebro já tenha decidido qual será esse candidato, embora você se sinta indeciso? Em outras palavras, será possível que você não tenha consciência de uma decisão que seu cérebro já tomou? Pois exatamente isso foi demonstrado.

Você acabou de ler a palavra "porco" e a imagem do animal "surgiu" na sua consciência. Mas nos milissegundos que separam o instante em que a imagem dessas cinco letras atingiu sua retina e o instante em que a imagem do animal apareceu na sua consciência, muita coisa aconteceu em seu cérebro: a retina processou a imagem e a transferiu para o córtex visual. Este identificou a palavra e extraiu de sua memória a imagem do animal, seu cheiro ou mesmo seu gosto. Esse processo ocorreu sem que você tivesse consciência. Após alguns milissegundos, o resultado desse processo fez com que você tivesse consciência do que havia lido. Imagine alguém capaz de observar as atividades que ocorrem em seu cérebro em tempo real. Ele seria capaz de prever que um "porco" iria aparecer na sua consciência antes mesmo de você se dar conta do que havia lido. Isso lhe permitiria prever seu pensamento com alguns milissegundos de antecedência. Nesse novo experimento, os cientistas foram capazes de fazer exatamente esse tipo de predição, mas com uma antecedência de alguns dias.

No final de 2007, a polêmica em Vicenza, na Itália, era um plebiscito que decidiria sobre a expansão de uma base militar americana na região. Cientistas estudaram 129 pessoas. Elas foram questionadas se eram a favor ou contra, depois submetidas a uma entrevista detalhada sobre os motivos de sua decisão ou indecisão. Os indecisos foram submetidos a um teste no qual são mostradas, por um curto espaço de tempo, e em rápida sucessão, centenas de imagens em uma tela de computador. Ao ver cada imagem, a pessoa deve apertar o botão bom/positivo ou o ruim/negativo. As imagens são mostradas tão depressa que é impossível tomar decisões conscientes e a pessoa é forçada a responder de forma automática (é o que ocorre, por exemplo, quando saltamos de susto ao ver uma cobra; a reação não passa pela consciência). Embora os participantes não tenham percebido de forma consciente, entre as centenas de imagens que desfilaram diante de seus olhos estavam imagens relacionadas com o aumento das bases militares. Ao analisarem os resultados, os pesquisadores classificaram as pessoas que haviam se declarado indecisas em dois grupos: os que associavam instintivamente as imagens militares ao ruim/negativo e os que associavam essas imagens ao bom/positivo. Algumas semanas depois, logo após o plebiscito, cada uma foi entrevistada para revelar seu voto. O resultado é impressionante. Entre as que se declararam indecisas, os testes de associação automática de imagens foi capaz de prever com mais de 99% de certeza como elas votariam dias depois. Isso sugere que no cérebro dessas pessoas, apesar de elas conscientemente se acharem indecisas, seu voto já estava determinado. Elas só não sabiam o que seu inconsciente já havia decidido, porque a decisão ainda não tinha se cristalizado na consciência. O interessante é que entre as pessoas que declararam já haver tomado uma decisão os testes de associação foram pouco informativos, como se o cérebro já tivesse encerrado o processo de decisão, entregado o resultado à consciência e apagado os rastros de sua atividade.

Essa pesquisa, além de exemplificar o pouco acesso de nossa consciência aos processos cerebrais que "criam" os pensamentos conscientes, abre uma série de possibilidades práticas com implicações morais complexas. Será que deve ser permitido aos órgãos de pesquisa de opinião "medir" o que ocorre no inconsciente de eleitores que se declaram indecisos?

Mais informações: "Automatic mental associations predict future choices of undecided decision-makers". Science, *vol. 321, p. 1100, 2008.*

13. Por que os políticos fazem plástica antes da eleição

Avaliar membros de sua espécie é uma tarefa importante para os mamíferos sociais, e eles a executam com eficiência. Acreditando nessa habilidade, o *Homo sapiens* organizou as democracias baseadas no voto universal. Mas existe um problema. Nosso cérebro e o cérebro dos macacos, que deram origem à espécie humana, foram selecionados durante milhões de anos para avaliar membros de nossa espécie com os quais interagíamos diretamente — indivíduos de nossos bandos ou tribos, cujo comportamento observávamos todos os dias e com quem nos comunicávamos constantemente. É dessa maneira que os machos e as fêmeas dominantes são escolhidos e os pareamentos sexuais determinados. Selecionar um líder entre candidatos com os quais nunca interagimos é uma novidade para o cérebro humano, e não é tarefa que ele, mesmo educado, faça com facilidade. Se puder escolher, nosso cérebro prefere utilizar poucas informações obtidas em interações diretas. É por isso que os políticos andam pelas ruas cumprimentando o maior número possível de eleitores. Quando forçado a decidir com base em informações indiretas, os mecanismos utilizados pelo cérebro são primitivos e irracionais. A literatura científica está cheia de estudos que comprovam essa tese, mas um trabalho publicado recentemente demonstra quão primitivo é esse mecanismo.

Cientistas suíços selecionaram 57 pares de fotos de candidatos a eleições municipais francesas. Cada par continha uma foto do vencedor e uma do segundo colocado. Os pares foram mostrados para 684 adultos suíços que nunca haviam visto esses políticos. Sem informar quem eram as pessoas e nem mesmo que elas haviam sido candidatas a cargos políticos, os cientistas pediram que os suíços escolhessem o membro do par mais "competente" e "confiável". Em 70% dos casos, o candidato avaliado como mais "competente" havia sido o candidato eleito pelos franceses. Se adultos sem nenhuma informação além de uma foto fazem a mesma escolha que os eleitores, isso sugere que os mecanismos empregados para fazer a escolha são primitivos, talvez semelhantes aos utilizados pelas crianças. Para a confirmação dessa hipótese, os mesmos pares de fotos foram apresentados a 681 crianças com idade entre cinco e treze anos. As fotos foram mostradas no contexto de um jogo de computador, no qual as crianças deveriam escolher o melhor capitão para um barco que os guiaria em uma viagem perigosa. Os resultados com as crianças foram os mesmos que os obtidos com os adultos: elas escolheram o vencedor das eleições em 71% dos casos. Isso sugere que os eleitores elegem seus líderes utilizando os mesmos mecanismos que o cérebro de uma criança usa para avaliar o rosto das pessoas.

Esse experimento é muito semelhante à maneira como os eleitores brasileiros são apresentados a candidatos ao Legislativo. Uma foto e uma frase. Mas o mais interessante é que esse experimento demonstra de forma científica um fato bastante conhecido dos políticos: a imagem da face, como ela aparece nas propagandas, é a principal fonte de informação utilizada por nosso cérebro quando ele é obrigado a fazer escolhas sem os dados da interação direta com o candidato. Não é de espantar que grande parte dos políticos se submeta a operações plásticas com o objetivo de se tornarem mais "competentes".

Mais informações: "Predicting elections: child's play". Science, *vol. 323, p. 1183, 2009.*

14. A possibilidade de prever decisões e o livre-arbítrio

Há milhares de anos a humanidade se preocupa em saber se afinal possuímos ou não livre-arbítrio. Será que quando decidimos conscientemente praticar um ato essa decisão é fruto tão só da nossa vontade? Ou será que as leis da natureza e os fatos que ocorreram no passado determinam cada um de nossos atos, e a impressão de absoluta vontade própria não passa de ilusão? Há alguns anos o neurologista Benjamin Libet realizou um experimento que coloca mais lenha na fogueira do debate sobre o livre-arbítrio.

Libet pediu que voluntários se sentassem e colocassem a mão sobre uma mesa. Depois, pediu que em algum momento (eles poderiam decidir quando) movessem a mão. Nenhuma indicação externa sinalizava quando a mão deveria ser movida. A decisão de movimentar a mão deveria ser totalmente voluntária. Além disso, Libet colocou diante dos voluntários um relógio em que o ponteiro de segundos ficava girando constantemente. No momento em que o voluntário decidisse mover a mão, deveria observar onde estava o ponteiro do relógio e informar essa posição aos pesquisadores. Além disso, Libet instalou sensores na mão dos voluntários, que permitiam saber exatamente quando a mão se mexia, e eletrodos na cabeça, que mediam a atividade cerebral. Feito tudo isso, as pessoas simplesmente ficavam ali, mexendo a mão quando quisessem.

O que Libet observou foi que era possível detectar atividade cerebral quase um segundo antes de a mão se mexer. Isso era esperado, pois o comando vindo do cérebro demora um tempo para chegar aos músculos da mão. O inesperado foi a constatação de que o momento em que a pessoa conscientemente decidia mexer a mão (determinada pela posição do ponteiro do relógio que ela informava ao pesquisador) ocorria sempre 0,3 segundo antes de a mão se mexer, mas 0,7 segundo depois da atividade cerebral. Em todos os voluntários a sequência de eventos era a seguinte: primeiro se detectava a atividade cerebral, 0,7 segundo depois a pessoa decidia mover a mão e 0,3 segundo depois do ato consciente de mover a mão é que ela realmente movia. O fato de a atividade cerebral ocorrer antes de a decisão surgir na consciência indica que a primeira parte da decisão de mover a mão ocorre de maneira inconsciente (durante o primeiro 0,7 segundo); somente depois a consciência toma "conhecimento" de que vai mover a mão.

Durante os últimos anos, uma série enorme de testes foi feita para verificar possíveis fontes de erro nesse experimento, porém nada foi detectado. Tudo indica que realmente cada uma de nossas decisões se inicia de forma inconsciente. Mas se isso é verdade, então existe um intervalo de 0,7 segundo no qual um observador que esteja monitorando nossa atividade cerebral já sabe o que vamos decidir antes de nossa consciência ter acesso a essa decisão. Em outras palavras: medindo a atividade cerebral, um observador pode saber o que uma pessoa vai decidir antes de ela ter conscientemente decidido.

Esse resultado não exclui a possibilidade de o livre-arbítrio existir, mas sua interpretação tem provocado muita discussão entre filósofos e cientistas, que tentam compreender como se forma a consciência e se o livre-arbítrio de fato existe. Por outro lado, esse experimento demonstra claramente que a consciência é o resultado da atividade cerebral, tornando improvável a hipótese, ainda defendida por muitos, de que cérebro e mente são entidades distintas.

Mais informações: "Do we have free will?". J. Consc. Studies, *vol. 6, p. 47, 1999.*

15. Emoções e decisões morais

Que relação existiria entre a moral e nossas emoções? Nossas decisões morais são influenciadas por nossas emoções, ou seriam as emoções efeitos de nossos conflitos morais? Se até recentemente esse tipo de questionamento pertencia ao campo da filosofia e da psicologia, agora neurocientistas começam a abordar esses temas de maneira experimental.

Imagine que você se defronte com o seguinte problema: um pequeno vagão vem descendo, descontrolado, por um trilho que desemboca em uma bifurcação. Cabe a você operar um comando que determina se o vagão vai para a direita ou para a esquerda. Se o desviar para a esquerda, ele vai atropelar e matar cinco pessoas. Se o desviar para a direita, vai matar uma única pessoa. Diante desse dilema moral, a grande maioria das pessoas escolhe o mal menor: desviar o vagão para a direita, sacrificando um para salvar cinco. Imagine agora que o vagão vem descendo a ladeira em direção às cinco pessoas, mas antes vai passar por baixo de uma ponte. Você está em cima da ponte e tem que tomar uma decisão. Ou não faz nada e deixa as cinco pessoas morrerem, ou agarra uma pessoa que está em cima da ponte e a lança sobre os trilhos para deter o vagão. Apesar de o número de pessoas mortas ser idêntico em cada opção (cinco mortes em vez de uma), a maioria das pessoas prefere deixar as cinco pessoas morrerem a tomar a atitude física de jogar uma pessoa inocente nos trilhos e causar sua morte.

Recentemente, esse e outros experimentos do mesmo tipo foram repetidos com pacientes que possuíam uma lesão no córtex pré-frontal. Seis deles foram escolhidos por possuírem lesões causadas por tumores ou por derrames em uma região específica do cérebro que, se destruída, reduz a capacidade da pessoa de sentir emoções como empatia, culpa ou vergonha. Apesar de não sentirem essas emoções, os pacientes possuíam capacidade de raciocínio e uma inteligência normal. O que se observou é que os pacientes com a lesão tomavam as mesmas decisões que as pessoas normais quando as escolhas morais não envolviam aspectos sentimentais muito próximos ao indivíduo. Assim, nos exemplos acima esses pacientes reagiram da mesma maneira que pessoas normais no caso do desvio do vagão. Ao contrário das pessoas normais, mesmo quando a decisão envolvia pessoas próximas, os pacientes com a lesão tendiam a escolher a opção lógica. No exemplo da ponte, não hesitavam em atirar uma pessoa de lá para salvar outras cinco. A conclusão desse estudo é que as nossas decisões morais são intrinsecamente dependentes de fatores emocionais, mas que essa influência só altera o julgamento quando a decisão moral envolve pessoas ou situações muito próximas ao sujeito.

Tal resultado não é inesperado, afinal a própria Justiça reconhece que o julgamento moral das pessoas pode ser bloqueado quando a decisão envolve pessoas ou situações muito próximas a cada um de nós. O interessante é que pela primeira vez se obtém comprovação experimental dessa observação, inclusive com o mapeamento das regiões do cérebro envolvidas nesses fenômenos.

Aos poucos a biologia vai explicando fenômenos mentais que antes pareciam ser uma exclusividade do campo da filosofia.

Mais informações: "Damages to the prefrontal cortex increases utilitarian moral judgements". Nature, *vol. 446, p. 908, 2007.*

16. Reze pelo paciente, mas não conte a ele

A ciência possui uma arma poderosa para testar se um tratamento tem o efeito esperado: o método duplo-cego randomizado. Seu poder vem do fato de ele permitir que se conheça a eficiência de um tratamento mesmo quando não se sabe como ele atua. Recentemente, esse tipo de estudo foi utilizado para determinar se rezar pelo sucesso de uma operação cardíaca afeta o resultado da operação. E o que se descobriu foi surpreendente.

Apesar do nome complicado, um estudo duplo-cego randomizado é simples. Primeiro se selecionam os pacientes, depois eles são divididos de maneira aleatória em grupos que recebem e que não recebem o tratamento. O mais difícil é garantir que os pacientes, os médicos e todas as pessoas que vão avaliar o resultado do tratamento não saibam a que grupo cada paciente pertence enquanto executam suas tarefas. Daí o nome duplo-cego. Só depois de tudo terminado é que o código é quebrado e os resultados analisados.

Nesse estudo sobre reza e o sucesso de cirurgias cardíacas participaram pacientes de seis hospitais que necessitavam de uma ponte de safena, divididos em três grupos. Os 601 pacientes do primeiro grupo foram informados que comunidades de fiéis rezariam para que "a operação fosse bem-sucedida e que não houvesse complicações". Os 604 pacientes do segundo grupo foram avisados que talvez eles fossem incluídos no grupo que receberia rezas, e de fato o foram. Os 597 pacientes do terceiro grupo também foram informados que talvez fossem incluídos no grupo que receberia rezas, porém não foram incluídos. No dia da operação, e nos catorze dias subsequentes, os nomes dos pacientes dos grupos "com reza" foram enviados a três igrejas (uma protestante e duas católicas) e lembrados nominalmente em todas as orações e rezas das congregações. Os pacientes dos três grupos foram acompanhados por trinta dias após a cirurgia e suas pequenas complicações documentadas. Terminado o experimento, os cientistas debruçaram-se sobre os dados.

Entre os pacientes do grupo que não recebeu rezas, 51% apresentaram pequenas complicações, como arritmias, febre etc. Entre os que receberam rezas sem saber que as receberiam, o resultado foi estatisticamente idêntico, 52% apresentaram complicações. Isso sugere que rezas ministradas nas condições do estudo, em que quem reza não pertence à família e não conhece o paciente, não influenciam o resultado da cirurgia. O surpreendente é que, entre os pacientes que foram avisados de que com certeza receberiam intercessões, 59% apresentaram complicações, um número que, apesar de semelhante, é estatisticamente maior do que os 52% do grupo que recebeu mas não tinha certeza de que receberia.

Esse resultado sugere que os pacientes que sabiam que iriam receber rezas apresentam um número maior de complicações. Os cientistas acreditam que isso pode ser explicado pela tensão extra a que eles estavam submetidos por pensarem algo como: "Se tanta gente está rezando por mim, meu problema deve ser sério".

Portanto, se você decidir pedir a Deus pela saúde de alguém que vai sofrer uma cirurgia, peça, mas não avise o paciente.

Mais informações: "Study of the therapeutic effects of intercessory prayer in cardiac bypass patients". Am. Heart J., *vol. 151, p. 762, 2006.*

VI. HUMANO

1. Henrietta, a primeira mulher imortal

Henrietta Lacks mudou minha maneira de ver o mundo. Eu a conheci em 1980 e, apesar de toda a sua fama, era chamada carinhosamente de HeLa. Ela teve papel fundamental na elucidação dos mecanismos que controlam a divisão celular, na descoberta dos genes causadores de diversos tipos de câncer, além de ter colaborado no desenvolvimento de muitos remédios que utilizamos. Apesar de tudo, nunca foi agraciada com o Prêmio Nobel.

Faz cinquenta anos que Henrietta doa seu corpo à ciência. Eu extraí seu DNA (ainda possuo um tubo em meu freezer) e alterei seus genes. Na época em que a conheci não sabíamos que ela era imortal. Mas ela continua viva, colaborando com centenas de cientistas.

Apesar de termos convivido por anos, eu jamais soube o que ela sentia. Nunca dividiu comigo seus pensamentos: Hoje sei que HeLa não possui sentimentos e entendo por que se entregava aos experimentos sem questionar meus motivos. Henrietta é imortal, mas desde 1951 está enterrada em um túmulo em Clover, na Virgínia.

Enlouqueci? Não. Somente me referi às células de Henrietta como se fossem a própria Henrietta.

Henrietta Lacks nasceu em 1920 e morreu de câncer do colo uterino em 1951. A partir de seu tumor, George Gey isolou a primeira linhagem imortal de células humanas, as chamadas células HeLa. Por não ter permissão de Henrietta para utilizar seu tumor, a verdadeira identidade de Henrietta foi escondida durante décadas sob o pseudônimo de Helen Lane. As células HeLa são imortais e se dividem continuamente. São cultivadas até hoje em laboratórios de todo o mundo, em frascos de plástico, em um meio contendo soro bovino. Milhares de trabalhos científicos foram realizados com essas células.

Durante décadas as células HeLa têm ajudado os cientistas a entender por que células normais se transformam em tumores. Hoje a ciência trilha o caminho inverso, tentando compreender como células-tronco, presentes nos embriões e em tecidos adultos, dão origem aos órgãos do corpo humano. Essas pesquisas têm como objetivo permitir a regeneração dos diversos órgãos do corpo humano. Mas para isso os cientistas precisam isolar as células-tronco de embriões humanos, da mesma maneira que George Gey isolou as células HeLa.

As células HeLa não devem ser confundidas com a pessoa Henrietta, pois não carregam seus sentimentos ou sua personalidade, somente seu genoma. Talvez algum dia seja possível criar uma irmã gêmea de Henrietta a partir das células HeLa, mas jamais outra Henrietta. Do mesmo modo, precisamos aceitar que as células-tronco extraídas de um embrião não são pessoas. Elas não possuem sistema nervoso nem demonstram sentimentos ou emoções, propriedades mentais básicas que separam uma pessoa de um aglomerado de células. Mas é verdade que elas contêm potencial para gerar uma ou mais pessoas.

A enorme contribuição das linhagens celulares para o desenvolvimento da medicina nunca foi devidamente divulgada, por isso é natural que tenhamos dificuldade em aceitar que células e pessoas não devem ser tratadas como iguais. Talvez falte às pessoas um relacionamento mais íntimo com a imortal HeLa.

Para mais informações, procure por HeLa em http://www.wikipedia.org.

2. Um pouquinho de mãe em nosso corpo

Ser mãe não é só padecer no paraíso. Se ela for mamífera, é também abrigar o feto no útero, alimentá-lo através da placenta e finalmente amamentá-lo após o nascimento. Mas agora as mães parecem ter um novo papel: doar suas células para os filhos.

Durante a gestação, o feto é alimentado através da placenta. Ela se fixa no interior do útero materno e liga-se a ele pelo cordão umbilical. A placenta funciona como uma espécie de radiador. No carro ele transfere o calor da água para o ar sem que o ar entre em contato com a água. Na placenta existe um mecanismo semelhante: de um lado circula o sangue da mãe, do outro o sangue do filho. Apesar de os dois tipos de sangue não se misturarem, moléculas pequenas, como o oxigênio e os alimentos, passam do sangue da mãe para o filho. Ao mesmo tempo o gás carbônico e os "rejeitos" do feto são transferidos para a mãe. Havia tempos se sabia que algumas moléculas maiores, como o antígeno que causa a reação anti-RH, podem cruzar a barreira da placenta.

Em 1995, um grupo de pesquisadores descobriu um pequeno número de células oriundas da mãe no sangue de quase 100% das crianças recém-nascidas, demonstrando que células também podem cruzar a placenta. De início a presença dessas células foi atribuída ao trabalho de parto, quando as contrações acabam por separar a placenta do útero. É possível que durante o parto o isolamento existente no "radiador" seja rompido e um pouco do sangue materno se misture ao sangue do filho. Com efeito, células fetais também são encontradas na mãe. Mais recentemente descobriu-se que essas células não morrem, mas se dividem, e seus descendentes continuam em nosso corpo por muitos anos. Esse fenômeno, chamado de microquimerismo — para indicar que nosso corpo na realidade é uma quimera contendo mais de 99,99% de células "nossas" e menos de 0,001% de célula de nossas mães —, era considerado uma simples curiosidade biológica, uma espécie de resquício de nossa vida uterina.

Agora um grupo de cientistas resolveu estudar quantas dessas células sobrevivem em adolescentes que sofrem de diabetes tipo 1 e em seus irmãos não afetados pela doença. Descobriram que 15% dos adolescentes diabéticos carregam em seu corpo quase 0,1% de células recebidas de suas mães, enquanto entre os irmãos não afetados somente 1,6% possuía níveis altos de células maternas. Além disso, no pâncreas de um paciente com diabetes quase 1% das células era de origem materna. Os cientistas ainda não sabem o que isso significa. A alta quantidade dessas células em pacientes pode ser uma tentativa do corpo de contrabalançar sua deficiência ou pode ser uma das causas da reação autoimune que leva à destruição das células produtoras de insulina e provoca o diabetes.

Essa descoberta sugere que o fato de trocarmos células com nossa mãe durante a vida uterina pode ter repercussões ao longo de toda a nossa existência. A afirmação de que cada um carrega consigo um pouco de sua mãe agora tem um significado biológico. Até hoje sabíamos que recebíamos de nossa mãe metade de nossos genes e parte de nossa educação. Agora, para o bem ou para o mal, sabemos que carregamos também algumas células.

Mais informações: "Maternal microchimerism in peripheral blood in type 1 diabetes and pancreatic islet β cell microchimerism". Proc. Natl. Acad. Sci. USA, *vol. 104, p. 1637, 2007.*

3. Convivência no útero afeta capacidade reprodutiva

Algumas vezes a religião colabora com o progresso da ciência. Foi o caso da Igreja luterana finlandesa. No período pré-industrial, toda a população da Finlândia pertencia à Igreja luterana e eram as paróquias que registravam os principais marcos da vida de seus membros. Nascimentos, casamentos e mortes eram meticulosamente anotados nos livros das igrejas. Esses registros, que existem desde o século XVI e que a partir de 1749 cobrem toda a população finlandesa, são uma mina de ouro para os epidemiologistas, pois permitem estudar a história de vida de uma população em uma época em que o tratamento médico ainda não influenciava de forma marcante o destino das pessoas. Um dos resultados obtidos é intrigante. Ao comparar a história de vida de pares de gêmeos do mesmo sexo com pares de sexos diferentes, os cientistas descobriram que meninas que dividiram o útero com irmãos do sexo masculino haviam tido menor sucesso reprodutivo.

O primeiro passo foi localizar todos os registros de pares de gêmeos nascidos, entre 1734 e 1888, em cinco paróquias espalhadas pela Finlândia. Dos 377 pares de gêmeos identificados, em 105 os dois irmãos eram do sexo masculino e em 117, do sexo feminino. Nos 155 casos restantes, os pares eram formados por um filho do sexo masculino e um do sexo feminino. O destino de cada uma dessas 754 crianças foi estudado por meio dos registros das paróquias. Assim foi possível descobrir se cada um se casou, teve filhos e quantos desses filhos sobreviveram até a idade adulta. O resultado surpreendeu. Nos meninos não foi encontrada nenhuma diferença entre aqueles que haviam dividido o útero com outro menino ou com uma menina. Em ambos os casos, 85% deles se casaram, 80% tiveram filhos e, em média, cada um teve cinco filhos, dos quais três chegaram aos quinze anos de idade.

A grande diferença foi encontrada entre as meninas. As que haviam sido gestadas em companhia de outra menina tiveram uma história semelhante à dos meninos: 95% se casaram e 90% delas tiveram filhos. Em média, essas meninas geraram cinco filhos, dos quais três sobreviveram além dos quinze anos. O impressionante foi o que aconteceu com as meninas que haviam dividido o útero com um menino. Destas, 80% se casaram, mas somente 65% tiveram filhos. Em média, essas meninas deram à luz três filhos, dos quais somente dois alcançaram os quinze anos de idade. O estudo também demonstrou que o número menor de descendentes deixados por essas meninas não se devia ao fato de terem sido criadas com irmãos do sexo masculino. Foi possível comparar meninas dos dois grupos que haviam perdido irmãos ou irmãs logo após o parto. Apesar de terem sido criadas sem o irmão gêmeo, essas meninas apresentavam menores taxas de reprodução.

Tais resultados demonstram que, ao menos na era pré-industrial, o fato de uma menina ter sido gestada junto com um menino diminui sua capacidade reprodutiva, e a explicação mais provável para isso é a presença dos hormônios masculinos produzidos pelo feto masculino durante a gestação. Esses hormônios, que sabidamente atravessam a placenta, de alguma maneira afetam o desenvolvimento das meninas. Tal fenômeno já havia sido observado em outros mamíferos, mas esta é a primeira vez que foi detectado em populações humanas.

Apesar de não sabermos se o fenômeno existe em sociedades onde a população tem acesso à medicina moderna, vale lembrar que atualmente, nas sociedades desenvolvidas, o uso cada vez mais disseminado de métodos de reprodução assistida e fertilização *in vitro* tem aumentado de maneira significativa o nascimento de gêmeos.

Mais informações: "Male twins reduce fitness of female co-twins in humans". Proc. Natl. Acad. Sci. USA, *vol. 104, p. 10915, 2007.*

4. Envelhecimento, o preço de uma vida sem câncer

Nossa relação com o envelhecimento vai mudar. Tudo indica que uma teoria apresentada em 2002 está se confirmando: o envelhecimento é um efeito colateral do nosso sistema de proteção contra o câncer.

Todos possuímos genes supressores de tumores, e o mais bem conhecido deles é o p53. Sua função é evitar o aparecimento de tumores, como ficou demonstrado pelo experimento no qual os cientistas removem o gene p53 de camundongos. Sem o gene, os camundongos morrem cedo em virtude do aparecimento de tumores logo após seu nascimento. Acredita-se que todos os dias, em cada um de nós, um grande número de células sofrem mutações e se tornam propensas a se dividir descontroladamente e a se transformar em tumores. Essas células só não dão origem a um grande número de tumores porque nosso organismo conta com um sistema eficiente de supressão de tumores. Esse sistema, cujo ator principal é o gene p53, induz essas células mutantes a cometer suicídio antes de se transformar em tumores. Quando, em contrapartida, o gene p53 de uma célula é danificado, aumentam os riscos de ela virar um tumor. É por esse motivo que podemos detectar mutações no gene p53 em grande parte dos tumores. Essas descobertas transformaram o p53 em herói, um repressor que faz o bem, evitando o aparecimento de tumores malignos.

Mas seria possível bloquear totalmente o aparecimento de tumores aumentando a quantidade de p53 no organismo? Em 2002, com o objetivo de testar essa ideia, foram gerados camundongos transgênicos em que o gene p53 está constantemente ativado. Os cientistas esperavam que esses camundongos ficassem livres de tumores. Isso ocorreu, mas junto com algo inesperado. Os camundongos envelheceram muito mais rápido que os camundongos comuns.

Como a manutenção de um corpo jovem depende da reposição contínua das células, os cientistas atribuíram esse envelhecimento precoce a uma inibição da reposição das células do corpo. Tal resultado sugere que o câncer e o envelhecimento são duas faces da mesma moeda: sem o controle exercido pelos supressores de tumores, morremos cedo de câncer; se aumentamos a supressão de tumores para evitar o câncer, bloqueamos a reposição de células e o envelhecimento ocorre mais cedo.

Agora surge um resultado que parece comprovar tal teoria. Existe, tanto em humanos quanto em camundongos, uma doença genética muito rara cuja principal característica é o envelhecimento precoce do corpo. Quando os cientistas foram investigar o mecanismo responsável por esse aumento na velocidade do envelhecimento, tropeçaram em um velho conhecido. Nessa doença ocorre um aumento anormal da p53, e, mais importante, eles demonstraram que quando se reduz a quantidade de p53 o envelhecimento é retardado. Esse resultado demonstra o envolvimento direto do p53 no processo de envelhecimento e sugere que muito provavelmente a teoria de 2002 está correta. O envelhecimento e a supressão de tumores são dois fenômenos interligados, regulados por um mesmo grupo de genes.

Talvez tenhamos de nos conformar: envelhecer é bom; afinal é o preço que pagamos para chegar à idade adulta livres do câncer.

Mais informações: "Accelerated ageing in mice deficient in Zmpste24 protease is linked to p53 signalling activation". Nature, *vol. 437, p. 564, 2005.*

5. Pessoas inteligentes vivem mais

Com a descoberta dos antibióticos, da eletricidade e do telefone, a ciência contribui para o progresso da humanidade com tecnologias desenvolvidas a partir de descobertas científicas. Mas provavelmente a maior contribuição da ciência venha de descobertas que contradizem nossas crenças ou desejos. É o caso de Galileu, que demonstrou não estarmos no centro do universo, e de Darwin, que descobriu termos vindo de outro primata. Mais recentemente, a ecologia nos forçou a aceitar e a reavaliar nossa capacidade de destruir o planeta.

Mas não é somente sobre as grandes questões que a ciência produz verdades inconvenientes. Há dez anos Ian Deary descobriu que crianças com um QI mais alto vivem mais. É desagradável e politicamente incorreto acreditar que um teste simples, feito aos dez anos de idade, pode prever a longevidade de nossos filhos. Apesar de sofrer muitas críticas, essa observação se confirmou nos últimos dez anos. A questão é que até agora foi impossível descobrir a causa desse fenômeno.

Para entender o problema, é preciso primeiro separar o que

foi descoberto da maneira como se deu sua divulgação. Em 1998, Deary localizou um grupo de escoceses que haviam sido avaliados por testes de QI em 1932. Ele descobriu que o grupo das crianças que haviam obtido resultados melhores no teste de QI tinha um número maior de representantes vivos, se comparado com os grupos que haviam obtido valores mais baixos. A maneira mais simples de resumir o resultado dessa descoberta está no título deste artigo: "Pessoas inteligentes vivem mais".

A relação entre os resultados dos testes de QI e a inteligência, uma capacidade difícil de definir ou medir, é polêmica. Em um polo encontramos cientistas que gostariam de definir inteligência como a capacidade de obter valores altos nos testes de QI, uma maneira fácil de escapar do problema. Em outro extremo, estão os biólogos que acreditam que os testes de QI medem nada mais que a capacidade das pessoas de responder a testes de QI. A maioria, porém, acredita que de alguma maneira esses testes avaliam parte do que chamamos de inteligência. Mas o fato é que quem tem QI alto vive mais, seja isso inteligência ou não.

Atualmente existem quatro hipóteses para explicar essa observação. A primeira é que pessoas "inteligentes" levam uma vida naturalmente mais saudável, pois tomam decisões "corretas", como evitar o fumo e outros hábitos deletérios à saúde. Por isso vivem mais. A segunda hipótese é que como a sociedade valoriza a inteligência e crianças com QI alto são tidas como inteligentes, elas tendem a receber uma educação melhor, sendo mais bem remuneradas no futuro, tendo com isso melhores condições de vida e alcançando uma idade mais avançada. A terceira hipótese é que um QI mais alto na infância demonstra que a criança sofreu menos nos anos anteriores, tanto na vida intrauterina quanto nos primeiros anos de vida, o que seria determinante para sua longevidade. O sofrimento na infância pode ter origens físicas ou sociais. A quarta hipótese é que um QI mais alto na infância é consequência de um corpo e de um cérebro mais bem formados, com menos defeitos genéticos. Um corpo superior naturalmente sobrevive mais tempo.

Essas hipóteses estão sendo testadas e ainda não existem respostas para elas. O interessante desse exemplo é que, dependendo da hipótese que for comprovada, a relação entre QI e longevidade pode ter conotações muito diferentes. Levando a extremos, a causa pode ser tanto só social quanto associada a diferenças genéticas. É preciso esperar.

Talvez fosse mais fácil evitar a polêmica esquecendo ou desqualificando a descoberta feita por Deary. Mas essa não é a maneira de operar da ciência, que tenta ir ao fundo da questão e entrega à sociedade o dilema de como conviver com as descobertas que nos forçam a mudar a maneira de ver o mundo. É a tradição de Galileu e Darwin.

Mais informações: "Why do intelligent people live longer?". Nature, *vol. 456, p. 175, 2008.*

6. As muitas idades do nosso corpo e a bomba H

Dizemos que temos cinquenta anos quando o tempo decorrido desde nosso nascimento é de cinquenta anos — elementar. O problema é acreditar, sem maiores questionamentos, que nosso corpo foi formado há cinquenta anos e desde então vem envelhecendo de modo uniforme.

Na verdade, diferentes partes do corpo têm diferentes idades. Nossas unhas provavelmente têm menos de dois anos — as unhas que estavam em nossos dedos de criança foram cortadas há anos e substituídas por novas. A idade de cada parte do corpo dos animais é bem conhecida, mas como essa medida é feita com a injeção de compostos radioativos, por motivos éticos ela nunca havia sido feita em seres humanos.

A contaminação da atmosfera com resíduos radioativos permitiu aos cientistas determinar pela primeira vez a idade de cada parte do corpo de seres humanos. Até 1955, a concentração de ^{14}C, um isótopo radioativo do carbono, permaneceu constante na atmosfera. Entre 1955, com o início dos testes de bombas de hidrogênio na atmosfera, e 1963, quando um tratado internacional baniu os testes, a concentração de ^{14}C na atmosfera subiu mais de cem vezes. Com a proibição dos testes, aos poucos a concentração foi caindo e hoje é dez vezes superior à presente em 1950.

Essa queda anual da concentração de ^{14}C pode ser observada nas camadas de madeira produzidas por uma árvore a cada ano de crescimento, os conhecidos anéis. Em uma árvore com mais de sessenta anos, é possível medir o rápido aumento de ^{14}C a partir de 1955 e a queda gradual a partir de 1963.

Por causa da fotossíntese, os vegetais retiram continuamente amostras de carbono da atmosfera. Esse carbono é ingerido por seres humanos, por via direta em uma salada, por exemplo, ou quando se come carne de animais que se alimentam de vegetais. Assim, um pedaço de unha fabricado hoje contém a concentração de ^{14}C que existia na atmosfera quando a alface com que nos alimentamos estava crescendo. A concentração de ^{14}C existente nos ossos reflete a concentração de ^{14}C existente na atmosfera no ano em que eles foram formados. Se meus ossos tiverem sido fabricados em 1956, ano em que nasci, devem conter muito mais ^{14}C que minhas unhas.

Foi através desse método que os cientistas conseguiram determinar a idade do DNA presente em cada parte do corpo humano. Primeiro escolheram pessoas que haviam nascido e vivido em uma mesma aldeia na Dinamarca, depois cortaram árvores daquela aldeia e mediram, no anel de cada ano, a quantidade de ^{14}C existente na atmosfera no ano em que o anel foi depositado. Então, fizeram biópsias de diferentes tecidos dessas pessoas e mediram a concentração de ^{14}C no DNA de cada tecido. Finalmente determinou-se a que ano correspondia a concentração de ^{14}C presente em cada amostra de DNA e calculou-se quando aquela parte do corpo havia sido produzida.

Os resultados demonstraram que diferentes partes do corpo têm idades diferentes. Um exemplo: em 2004, uma pessoa nascida em 1974 teria, como sabemos, trinta anos. Suas células do cerebelo foram fabricadas em 1978, quando ela tinha quatro anos, e os neurônios de seu córtex cerebral, em 1982.

A má notícia é que estamos todos contaminados com ^{14}C. A boa é que nosso corpo é mais jovem do que imaginávamos.

Mais informações: "Retrospective birth dating of cells in humans". Cell, *vol. 122, p. 133, 2005.*

7. A dinâmica da obesidade e as armas nucleares

Muitos cientistas acreditam que nos próximos anos as mortes decorrentes da epidemia de obesidade serão maiores que as vidas salvas devido ao progresso da medicina. Mesmo cientes do impacto da obesidade na expectativa de vida da população e apesar de nossa obsessão com as gorduras acumuladas em nosso corpo, sabemos muito pouco sobre o comportamento do tecido adiposo. Só recentemente um grupo de cientistas determinou o tempo que uma célula adiposa sobrevive em nosso organismo. O interessante é que isso só foi possível porque durante a Guerra Fria americanos e russos detonaram um grande número de bombas atômicas na atmosfera.

A gordura se acumula no corpo em milhões de células chamadas adipócitos (ou células adiposas). Cada adipócito possui em seu interior uma gota de gordura. O aumento ou a diminuição da quantidade total de gordura no corpo pode ocorrer de duas maneiras: ou o número total de adipócitos permanece constante e o que varia é o tamanho da gota de gordura, ou o tamanho da gota de gordura é constante e o que varia é o número de adipócitos.

Mas o que ocorre com o tamanho e o número de adipócitos durante nossa existência? O que se sabe é que pessoas gordas possuem um número maior de adipócitos que as magras, mas quando emagrecemos ou engordamos o número de adipócitos não se altera; o que varia é o tamanho da gota de gordura em cada célula. Mesmo em pessoas que fazem cirurgia de redução de estômago e passam por uma diminuição considerável de peso, apenas se altera o tamanho das gotas de gordura. Outra descoberta importante é que o número de adipócitos aumenta durante a infância, se estabiliza no final da adolescência e permanece constante durante a vida adulta.

A constatação de que o número de adipócitos é fixo durante a vida adulta levou muitos cientistas a acreditar que essas células eram produzidas uma única vez e sobreviviam durante toda a nossa vida. É isso que ocorre com a maioria dos neurônios (as células do cérebro). Determinar o tempo de vida de uma célula no corpo humano é difícil. É necessário injetar material radioativo, observar sua incorporação no DNA e depois verificar em quanto tempo esse DNA é duplicado ou degradado. Em virtude das limitações éticas desse experimento, ele nunca pôde ser realizado em humanos. Por isso se desconhecia a duração da vida de um adipócito humano.

Agora os cientistas descobriram como atacar o problema. Durante as duas décadas em que americanos e russos explodiram bombas atômicas na atmosfera, a quantidade de carbono radioativo no ar praticamente dobrou. Esse material radioativo foi absorvido pelas plantas e acabou em nossa alimentação. Com o fim dos testes, a radioatividade na atmosfera diminuiu e quase voltou ao normal. Esse pico de radioatividade nos alimentos tem o mesmo efeito que uma injeção de material radioativo. O que os cientistas fizeram foi estudar o que havia acontecido com o carbono radioativo em pessoas que tinham idades diferentes quando submetidas a essa "injeção" de radioatividade entre 1960 e 1970. O resultado do experimento, a que fomos submetidos involuntariamente, demonstrou que os adipócitos têm uma vida relativamente curta. Tudo indica que cerca de 10% de todos os adipócitos do corpo humano são substituídos a cada ano, qualquer que seja nosso peso, se estamos engordando ou emagrecendo.

Se a cada década o corpo troca todos os adipócitos e mesmo assim o número total não se altera, é de se supor que o corpo humano possua um mecanismo muito sofisticado para regular o número total de adipócitos. Se um dia for possível interferir nesse mecanismo, talvez se possa também controlar o número de adipócitos, o que significaria um novo tratamento contra a obesidade. Mas enquanto esperamos por essa terapêutica, a única maneira conhecida de reduzir o número de adipócitos é a cirurgia plástica. Passar fome só diminui o tamanho da gota de gordura em cada adipócito.

Mais informações: "Dynamics of fat cell turnover in humans". Nature, *vol. 453, p. 783, 2008.*

8. O gene da libido feminina

O título acima é um desserviço à genética e à complexidade da sexualidade feminina, mas não resisti à tentação. O fato é que existe um gene que, inativado, faz desaparecer o comportamento sexual das fêmeas de camundongo.

A libido é um fenômeno complexo que envolve não somente a ação de hormônios sobre áreas específicas do cérebro como também elementos sensoriais e psicológicos. É pouco provável que exista "o gene da libido", assim como é pouco provável que exista o "gene da homossexualidade" ou outros genes do gênero.

Mas o fato de um comportamento ou uma característica ser complexa não significa que não exista um único gene capaz de fazer desaparecer tal característica.

Um bom exemplo é o andar. Ele abrange as pernas, com seus ossos e músculos, o controle da perna pelo sistema nervoso e os sistemas superiores do cérebro que decidem iniciar o processo de andar. Toda essa complexidade claramente envolve dezenas, se não centenas, de genes, e é difícil imaginar que, ainda assim, exista o "gene do andar".

Acontece que existem genes essenciais para a formação de pernas e braços, e uma mutação em um deles produz indivíduos incapazes de andar — pelo simples fato de não terem pernas. Como o andar é um processo complexo, mas bastante conhecido de todos, se um jornalista classificasse esse gene como "o gene do andar" a falácia seria rapidamente descoberta. Como, porém, a libido feminina é um mistério que fascina pelo menos metade da humanidade, o título acima ainda provoca a leitura e não o desprezo.

Vamos ao que se descobriu. O estrógeno é provavelmente o mais importante hormônio feminino, sendo necessário para a manutenção dos caracteres sexuais secundários nas fêmeas e capaz de induzir esses mesmos caracteres nos machos. Um dos locais de ação desse hormônio é o cérebro, onde ele se liga a dois receptores, alfa e beta.

Há algum tempo foram construídos camundongos transgênicos nos quais se aboliram esses genes. A ausência do receptor beta não altera o comportamento sexual das fêmeas, mas a remoção do gene alfa causa grandes alterações comportamentais. As fêmeas não permitem que os machos se aproximem por trás, deixam de apresentar a lordose típica de fêmeas receptivas, não ficam imóveis para permitir o coito e se tornam agressivas com os machos. Deixo a cargo do leitor imaginar os truques usados pelos pesquisadores para conseguirem manter e reproduzir essa linhagem mutante.

Como nesses camundongos transgênicos o receptor não existia durante o desenvolvimento do animal, ficou a dúvida se o efeito era provocado pela ausência do gene ou pela malformação do cérebro resultante da ausência do gene durante o desenvolvimento do camundongo.

Agora, com uma nova metodologia que permite "desligar" o gene no camundongo em uma região específica do cérebro adulto, ficou confirmado que a inativacão desse único gene é capaz de bloquear completamente a "libido". Entretanto, o que fica demonstrado é que, embora esse gene seja um dos envolvidos no complexo comportamento sexual dos camundongos, isso não o qualifica ao título de "gene da libido feminina".

Mais informações: "RNAi-mediated silencing of estrogen receptor alfa in the ventromedial nucleus of hypothalamus abolishes female sexual behaviors". Proc. Natl. Acad. Sci. USA, *vol. 103, p. 10 456, 2006.*

9. A voz, o ciclo menstrual e as cartomantes

Somos a única espécie que possui um mecanismo de comunicação tão sofisticado como a fala. Mas isso não quer dizer que outros animais não sejam capazes de se comunicar de maneira eficiente. A expressão através de sons, gestos, caretas, odores, cores, hormônios, feromônios e posturas corporais é conhecida e documentada. Nossos ancestrais dependiam desses recursos de comunicação. Com o aparecimento da linguagem verbal, essas formas de comunicação perderam importância, mas não deixaram de existir. Expressões faciais e gestos ainda são usados para reforçar nossa comunicação oral, embora, da mesma maneira que o aparecimento do sol todas as manhãs nos impede de observarmos as estrelas, a linguagem falada ofusque todos os demais recursos. Mas será que ainda existem resquícios de outros modos de comunicação? Assim como as estrelas continuam no céu durante o dia, provavelmente nossos métodos primitivos de comunicação também ainda estão presentes em nossa vida. E um experimento recente comprova esse fato.

Pediu-se a um grupo de cinquenta mulheres que gravassem

sua voz recitando os números de um a dez. Cada mulher gravou a frase: "One, two, three, four, five, six, seven, eight, nine, ten". Depois elas voltavam ao laboratório todas as semanas para repetir a gravação, e isso foi feito durante quatro semanas. Após a última gravação, foi determinado o ponto exato do ciclo menstrual em que estavam as mulheres. Desse modo cada uma das quatro gravações pôde ser associada a uma fase do ciclo menstrual.

Em seguida, foram recrutados cinquenta homens. Cada um ouviu as duzentas gravações que as mulheres tinham feito e depois foi instruído a dar uma nota de zero a cem de acordo com a "sensualidade" da voz. Os homens não sabiam como as gravações haviam sido obtidas nem que existiam quatro versões para cada voz. Obtidos os resultados, os cientistas traçaram um gráfico que relacionava a "sensualidade" de cada gravação com o momento do ciclo menstrual em que ela foi feita. O resultado é impressionante. Os homens deram notas significativamente mais altas para as vozes gravadas durante o período fértil das mulheres. O experimento foi repetido com mulheres que tomavam pílulas anticoncepcionais, e nesse caso o efeito não foi detectado. Apesar de surpreendente, o resultado sugere que as mulheres comunicam sua fertilidade através da voz.

Essa observação fica mais fácil de entender se considerarmos o que ocorre na laringe das mulheres. De maneira análoga ao que acontece com os tecidos do útero e da vagina, o tecido das cordas vocais e da laringe sofre os efeitos das variações das taxas de hormônio feminino durante o ciclo menstrual, um fenômeno parecido com o que ocorre com os meninos na puberdade. Em diversos macacos os sons emitidos pelas fêmeas mudam de tom de acordo com sua fertilidade.

Fica demonstrado, portanto, que esse é um dos mecanismos de comunicação ofuscados pelo surgimento da fala. A capacidade de certas pessoas (como videntes e cartomantes) de detectar mensagens não verbais, como expressões faciais, gestos, cheiros e sudorese, pode explicar por que elas parecem "ler" nosso passado. Na verdade é provável que estejam "lendo" exatamente o que transmitimos utilizando nossos métodos primitivos de comunicação. E se elas são capazes de "ler" nosso passado, é claro que vamos acreditar que elas são capazes de "ler" nosso futuro.

Mais informações: "Woman's voice attractiveness varies across the menstrual cycle". Evol. Hum. Behav., *vol. 29, p. 268, 2008.*

10. Comparando gêmeas

Da cor da pele ao número de dedos, tudo o que somos é determinado pelos genes e pelo ambiente em que vivemos. Um dos poucos métodos capazes de avaliar as contribuições relativas dos genes e do ambiente é o estudo de gêmeos idênticos. Uma pesquisa, realizada recentemente, sobre a influência dos genes no orgasmo feminino é um bom exemplo dessa contribuição.

Gêmeos idênticos (monozigóticos) se estruturam quando um único óvulo fecundado se parte ao meio e forma duas crianças. Nesse caso, 100% dos genes são idênticos e qualquer diferença entre as crianças é atribuída ao meio ambiente. Gêmeos comuns (dizigóticos) formam-se quando dois óvulos são fecundados de maneira independente, resultando em duas crianças. Nesse caso, os irmãos compartilham 50% dos genes e as diferenças podem ser atribuídas tanto aos genes como ao meio ambiente.

O método consiste em comparar os membros de cada par de gêmeos: se uma característica é influenciada só pelo meio ambiente, a diferença entre os monozigóticos deve ser parecida com a diferença entre os dizigóticos. Caso os genes tenham muita influência, os monozigóticos devem ser mais parecidos do que os dizigóticos.

Um dos maiores cadastros de gêmeos é o do St. Thomas Hospital, de Londres. Para estudar a influência dos genes no orgasmo feminino, 683 pares de gêmeas monozigóticas e 714 pares de dizigóticas responderam a um mesmo questionário. Grupos com as mesmas características foram montados. Em ambos, a idade média era de cinquenta anos, 99% das mulheres eram sexualmente ativas, 98% declararam-se heterossexuais e 25% divorciadas. O questionário perguntava, entre outras coisas, a frequência com que sentiam o orgasmo. Nos dois grupos, 32% responderam que raramente o atingiam, enquanto 37% atingiam o orgasmo em mais de 75% das relações.

Esse resultado demonstra que a frequência com que as gêmeas atingem o orgasmo não é influenciada pelo fato de elas serem monozigóticas ou dizigóticas. O passo seguinte foi determinar se os membros de cada par de gêmeas apresentavam comportamento semelhante. O que se pretendia verificar é se as diferenças intrapar são menores entre as gêmeas monozigóticas quando comparadas com as dizigóticas.

Esse índice é chamado de coeficiente de correlação intraclasse. Caso exista influência genética, os pares de monozigóticas devem ser mais parecidos do que os de dizigóticas. O resultado da análise mostrou que 35% dos pares de monozigóticas tinham comportamento semelhante. No grupo de pares de gêmeas dizigóticas, só 14% deles apresentaram comportamento semelhante. A conclusão é que a propensão ao orgasmo é, em parte, influenciada pelos genes.

O importante é compreender que o fato de uma característica ser influenciada pelos genes não significa que ela seja determinada de maneira inexorável por eles. Confundir influência genética com determinismo genético é um erro. Veja o caso da cor da pele. Apesar de altamente influenciada pelos genes, é possível que uma pessoa de pele clara esteja permanentemente morena. Basta tomar sol todos os dias.

Mais informações: "Genetic influences on variations in female orgasmic function: a twin study". Biol. Lett., *vol. 1, p. 260, 2005.*

11. Pessoas que não sentem dor

O menino de dez anos se exibia andando sobre brasas e perfurando os braços com facas. Seus braços exibiam feridas abertas e seus pés queimaduras graves. Ele não sentia dor. Foi a descoberta desse pequeno paquistanês que levou uma equipe de cientistas a procurar outras famílias com portadores da mesma doença. Três famílias foram localizadas, uma com três crianças atingidas pela doença, outra com duas e uma com uma menina afetada, um total de seis pacientes. O menino que despertou o interesse dos cientistas não pôde ser incluído no estudo porque morreu ao saltar de um telhado. Examinando os outros pacientes, constatou-se que eles realmente não sentiam dor, mas possuíam o sentido do tato inalterado e eram capazes de sentir pressão, calor e frio. Todos haviam perdido parte da língua e dos lábios após terem se mordido acidentalmente na infância; além disso, muitos apresentavam um grande número de cicatrizes no corpo e diversas fraturas nos membros.

O estudo da árvore genealógica das três famílias mostrou que todas as crianças afetadas eram filhos de casamentos consanguíneos, geralmente entre primos. Isso demonstra que a doença é hereditária e só se manifesta se a pessoa herdar duas cópias do gene defeituoso, uma da mãe, outra do pai. Como o gene alterado é muito raro na população mundial, a probabilidade de uma pessoa afetada surgir de um casamento entre famílias distantes é extremamente pequena.

Investigando o DNA dos membros das três famílias e de posse da sequência completa do genoma humano, foi relativamente fácil descobrir que o gene defeituoso estava no cromossomo número dois. Uma análise mais detalhada permitiu localizá-lo e revelou que o mesmo gene estava alterado nas três famílias. O gene, cujo nome é SCN9A, já havia sido descrito. Ele é responsável pela produção de uma proteína envolvida na transmissão dos sinais elétricos nas células do sistema nervoso. Apesar de o gene alterado ser o mesmo nas três famílias, a alteração que o levou a perder a função é diferente em cada família. O curioso é a existência de outra doença, descrita há muitos anos, na qual esse mesmo gene está envolvido. Pacientes acometidos dessa doença, chamada de eritemalgia, possuem uma versão hiperativa do gene SCN9A e sentem dores fortíssimas, como queimaduras, quando tocam um objeto morno. O fato de a ausência de funcionamento desse gene levar a uma total incapacidade de sentir dor, associado à observação de que pessoas portadoras de uma versão mais ativa desse gene sentem uma dor forte em condições nas quais pessoas normais só sentem um incômodo, confirma que o gene está diretamente envolvido no mecanismo da dor.

Apesar de a medicina ter a seu dispor dezenas de compostos analgésicos e anestésicos, nenhuma dessas moléculas age diretamente sobre a proteína produzida pelo gene SCN9A. Essa descoberta deve permitir o desenvolvimento de uma nova família de moléculas capazes de bloquear a atividade da proteína codificada pelo gene SCN9A, o que permitiria bloquear totalmente a dor sem induzir o sono.

A história que une uma criança que se autoflagelava em uma feira do Paquistão a um medicamento capaz de suprimir a dor é mais um exemplo dos caminhos sinuosos percorridos pela pesquisa científica.

Mais informações: "An SCN9A channelophathy causes congenital inability to experience pain". Nature, *vol. 444, p. 894, 2006.*

VII. PASSADO

1. Nas costas do envelope

Foi na serra de Caraguatatuba que senti pela primeira vez o peso de pertencer à espécie *Homo sapiens.* Quando um dia, há muito tempo, subíamos essa serra, meu pai decidiu fazer um descanso em Paraibuna não só para comemorar que o seu DKW não havia fervido como para alimentar os filhos, que tinham enfrentado as curvas em jejum. Foi com uma linguiça calabresa na mão que dei com a frase escrita no portão do cemitério perto de onde estávamos: "Nós que aqui estamos por vós esperamos". A morte então era inevitável... E com oito anos deixei o mundo animal, onde a consciência da morte não existe, para me tornar humano, eternamente esperando morrer.

Ontem, ao passar de novo por Paraibuna, me lembrei dessa cena da minha infância e de ter me impressionado com aquela imagem de mortos esperando pelos vivos. Devia haver um número infinito de pessoas naquele lugar. Entre uma curva e outra, já de volta ao presente, tentei imaginar quantas almas estariam ali esperando por nós.

Esse é um problema que merece um "back of the envelope

calculation". Fazer cálculos nas "costas de um envelope" é uma das tradições da comunidade científica. Ideias surgem nos lugares mais inesperados, num bar ou numa viagem de trem. No afã de anotar depressa uma ideia fresca em algum papel à vista, um número surpreendente de descobertas importantes acabou sendo rabiscado nas costas de envelopes e em guardanapos usados. Contas feitas de maneira grosseira, sem o cuidado formal e a pretensão de estarem corretas, muitas vezes são o primeiro registro de uma nova maneira de ver o mundo. Assim foi, por exemplo, com o susto de descobrir o poder de uma bomba atômica, depois materializada em Hiroshima, ou com os desenhos de bicos de pássaros que Darwin transformou na teoria da evolução da espécie. Pena que nas escolas a necessidade de sempre "resolver o problema" e "encontrar a resposta certa" não deixa espaço para o hábito de fazer contas com o objetivo simples de satisfazer alguma curiosidade. Por exemplo, utilizando somente seu conhecimento sobre o Brasil, você é capaz de estimar quantos gols são marcados todos os anos no país? Muitos alunos chegam a ter medo de tentar fazer uma conta desse tipo.

Parei para comer uma linguiça calabresa no Fazendão. Em uma série de guardanapos tentei calcular quantas almas estariam me esperando no reino dos mortos. Quantas pessoas habitaram o planeta nos últimos 15 mil anos? Estimei a população humana a cada mil anos, lembrando que na época dos egípcios éramos 20 milhões, na de Cristo 100 milhões e que hoje somos mais de 6 bilhões de habitantes. A explosão ocorreu nos últimos 150 anos. Imaginando que existam quatro ou cinco gerações de pessoas por século, concluí que já viveram no planeta entre 30 bilhões e 90 bilhões de seres humanos.

A felicidade de saber que 10% de todas as almas que já passaram pelo planeta ainda estão vivas não durou mais que o tempo necessário para acessar o Google. Em 2002, Carl Haub fez, de maneira quase científica, essa mesma conta. Sobrou o prazer de descobrir que meus cálculos no guardanapo não estavam tão errados. Haub chegou ao número de 106 bilhões. Em 2002 ele postulou que 6% das almas ainda se achavam entre os vivos.

Hoje faz mais sentido colocar uma placa como esta não no cemitério, mas na maternidade de Paraibuna: "Nós que aqui estamos (os vivos) por vós esperamos (crianças ainda por nascer)". Talvez a mensagem leve os vivos a tentar calcular quantas vidas humanas ainda passarão pelo planeta antes da extinção do *Homo sapiens*.

Mais informações: "How many people have ever lived on Earth? (http://www.prb.org/pdf/PT_novdec02.pdf)

2. Memórias pré-históricas

Muitas vezes estive em locais tão agradáveis que imaginei poder viver ali por anos. Mas em dois deles não consegui entender a origem desse sentimento de conforto. Um dos lugares são as ruínas de Mesa Verde, no Arizona. As ruínas estão encravadas em um enorme barranco aproveitando cavernas naturais. A cidade é um terraço estreito na face vertical da montanha. O acesso só é possível por rampas. Dos terraços se observa um vale quase desértico e um pequeno riacho. O local é primitivo, estreito e o acesso a ele é complicado, daí a dificuldade de entender a sensação de conforto. Anos mais tarde visitei ruínas da Idade da Pedra no sul da França. Tive a mesma sensação quando subi até as cavernas localizadas em um despenhadeiro de onde se avista um vale rico em vegetação e entremeado por diversos riachos. Apesar de as cavernas serem menores e o acesso ainda mais difícil, senti o mesmo bem-estar.

Essas lembranças estavam perdidas até esta semana, quando li a descrição de E. O. Wilson sobre os estudos que originaram o conceito de biofilia. Eles propõem que nós, seres humanos, temos um prazer especial em conviver com a natureza, uma espécie de afeição inata por ela, gravada em nossos genes. Na pesquisa que chamou minha atenção, cientistas entrevistaram pessoas das mais diversas culturas que vivem nos mais diversos ambientes, desde as grandes cidades da China até o interior de florestas, passando por favelas e palafitas. O objetivo era determinar o local em que cada uma gostaria de viver se pudesse escolher livremente.

Para a surpresa dos pesquisadores, independentemente da cultura ou do nível de educação, três elementos estiveram presentes em todos os grupos. Os pesquisados disseram preferir ter atrás de suas casas uma montanha íngreme, uma parede ou um penhasco. A habitação deveria estar em um nível um pouco mais alto que o terreno à frente, de modo que a vista do horizonte fosse ampla. Finalmente, essa paisagem deveria conter algum tipo de vegetação, e depois água — um rio ou lago. Esse resultado indica uma preferência que não parece ser cultural e sugere que o "amor pela natureza", ou biofilia, está incutido em nosso cérebro de maneira semelhante à tendência do homem de escolher os pés para caminhar e as mãos para segurar objetos.

A interpretação dos pesquisadores é que tais preferências estão relacionadas com o local em que nossos antepassados viveram nos últimos milhões de anos. Cavernas onde não podiam ser atacados por trás, de onde pudessem observar suas presas e próximas à água. Provavelmente os únicos hominídeos que deixaram descendentes foram aqueles que possuíam genes que os levaram a escolher locais como esses; os demais ou foram devorados ou morreram de fome. A ideia é que nossa afeição por esse tipo de ambiente ainda sobrevive em nosso cérebro, o que talvez explique a sensação de conforto que senti em Mesa Verde. Na verdade, o cérebro que escreve este texto foi selecionado durante centenas de milhares de anos em ambientes como Mesa Verde. Somente nos últimos mil anos é que se viu diante de uma mesa em um apartamento. Que outras preferências pré-históricas, semelhantes à minha sensação de conforto em Mesa Verde, estão registradas em nossos circuitos cerebrais e exercem sua influência sem nosso conhecimento?

Mais informações: A criação: como salvar a vida na Terra, *de E. O. Wilson, Companhia das Letras, São Paulo, 2008.*

3. Os segredos de um túmulo de 4600 anos

Cemitérios possuem uma quantidade enorme de informações enterradas. Parece pouco para reconstruir a complexidade de uma sociedade, mas eles são a única fonte de informação de que dispomos para compreender povos que não deixaram relatos, arte ou construções. Agora, pela primeira vez, o estudo de um túmulo demonstra cientificamente a organização social e familiar de uma sociedade do final da Idade da Pedra.

Em Eulau, na Alemanha, foram descobertos quatro túmulos com múltiplos corpos, num total de treze esqueletos. A idade dos ossos (determinada por isótopos de carbono), a organização dos corpos e os artefatos encontrados permitiram concluir que os mortos pertenceram à cultura *corded ware*, que ocupou o norte da Europa e da União Soviética 3 mil anos a.C. Aparentemente essas pessoas foram enterradas após um conflito armado.

No túmulo 99, havia uma mulher de quarenta anos, um homem de cinquenta e duas crianças, de cinco e nove anos. O homem estava enterrado deitado sobre seu lado esquerdo, com as pernas encolhidas e a cabeça apontando para o poente (um costume dessa cultura). A mulher, com as pernas cuidadosamente entrelaçadas às do homem de modo que suas nádegas se tocavam, foi enterrada deitada sobre seu lado direito, com a cabeça voltada para o nascente. Cada adulto abraçava uma criança. A cabeça delas repousava próxima ao ombro do adulto, tal como envolvemos uma criança sentada em nosso colo quando ela apoia a cabeça em nosso ombro e nos entrelaça com as pernas.

A análise dos ossos mostrou que os quatro sofreram morte violenta e foram enterrados pelos sobreviventes. Os adultos tentaram se defender. Isso é visível pelas lesões nos braços e nas mãos, semelhantes às de uma pessoa que tenta se proteger. Todos acabaram morrendo com fraturas cranianas ou de vértebras.

A análise do DNA extraído dos dentes permitiu descobrir que os dois adultos eram os pais biológicos das crianças, ambas do sexo masculino. As relações familiares e de afeto aparentes no arranjo dos corpos refletem fielmente a ligação genética entre os quatro familiares. A mãe, claro, foi enterrada abraçando o filho menor. O núcleo familiar já existia na Idade da Pedra.

O conteúdo de estrôncio também foi medido. A quantidade desse metal nos ossos reflete a quantidade de estrôncio na água consumida durante a infância, consequência, por sua vez, da fonte de água de cada região. Foi possível demonstrar que o conteúdo de estrôncio nos ossos dos filhos é igual ao do pai, mas muito diferente do da mãe. Os cientistas acreditam que isso revela que a sociedade era exogâmica e patrilocal. Os homens se casavam com mulheres provindas de outros locais (casamentos exogâmicos), mas o casal residia e procriava no território do pai (patrilocal). Esse comportamento social faz com que os ossos das mães sejam testemunhas do conteúdo de estrôncio de seu local de origem, enquanto os ossos de pai e filhos provêm de uma mesma fonte de água, do local onde o pai nasceu, o casal viveu, teve seus filhos e provavelmente foi morto.

Nos últimos 4600 anos a estrutura familiar e a agressividade do *Homo sapiens* parecem não ter mudado muito. Histórias semelhantes são enterradas todos os dias em nossos cemitérios.

Mais informações: "Ancient DNA, strontium isotopes, and osteological analyses shed light on social and kinship organization of the later stone age". Proc. Natl. Acad. Sci. USA, *vol. 105, p. 18 226, 2008.*

4. Nossa miséria e a miséria de nossos ancestrais

"Estamos andando para trás." Assim costumamos descrever o aumento da distância que separa o Brasil dos países desenvolvidos. Mas a cidade de Kindu, no Congo, realmente andou para trás. Hoje seus habitantes vivem sem eletricidade e desde que as estradas foram tomadas pela floresta o comércio é feito no lombo de burros. As condições de vida estão entre as piores do planeta. Há cinquenta anos Kindu era ligada ao resto do Congo por rodovias e chegou a possuir um cinema.

Será que é possível comparar a vida nas regiões mais miseráveis do planeta hoje com as condições enfrentadas pela humanidade na pré-história ou na Idade Média? Embora seja difícil comparar sofrimento, conforto ou felicidade em diferentes épocas e geografias, uma metodologia muito usada pelos ecólogos pode ajudar.

Quando uma espécie, um animal ou mesmo um vírus está em um ambiente favorável, o número de seus indivíduos tende a crescer rapidamente. Para um biólogo o simples fato de uma população crescer indica que as condições ambientais são favoráveis.

É o caso dos ratos nas grandes cidades. Embora a floresta pareça ser um ambiente mais agradável, sem dúvida os ratos encontram uma situação mais propícia nos esgotos. Medir diretamente o crescimento da população dispensa a difícil comparação de esgotos com florestas, onde os ratos viviam originalmente.

Quando o ambiente se torna menos propício, a taxa de crescimento diminui e a população se estabiliza; o número de nascimentos se iguala ao número de mortes. Por fim, quando o ambiente se torna realmente inóspito, o número de indivíduos tende a diminuir até que a espécie vá caminhando mais e mais para a extinção. É o caso do mico-leão-dourado, um pequeno macaco das florestas brasileiras ameaçado de extinção e que sobrevive nos restos da mata atlântica. Para ele, o que sobrou da floresta é um ambiente muito mais sombrio que o esgoto é para os ratos.

Quando se analisam as condições de vida desse ponto de vista, é fácil concluir que o ambiente de nossos antepassados era pior que miserável. Os cientistas acreditam que mil anos antes do nascimento de Cristo o número de seres humanos no planeta não passava de 150 milhões. Foram necessários 2500 anos até o ano 1500, para que o mundo chegasse a 500 milhões de pessoas, uma taxa de crescimento minúscula para um período de tempo como esse, o que indica condições de vida duríssimas, provavelmente com taxas de mortalidade infantil elevadas, fome, doenças e expectativa de vida muito baixa. As condições melhoraram rapidamente. Em 1850, já éramos 1 bilhão de pessoas, por volta de 1950 somávamos 3 bilhões e hoje somos mais de 6 bilhões. O trágico é que atualmente, mesmo nas regiões mais pobres do planeta, as populações humanas submetidas às piores condições de alimentação e saúde crescem a taxas muito mais altas que as de nossos antepassados, o que mostra quão resistente é a espécie humana.

Desde o aparecimento da agricultura, da medicina e dos métodos anticoncepcionais, o homem passou a controlar seu crescimento populacional, libertando-se da estratégia adotada por todo ser vivo, que consiste em se reproduzir o mais rapidamente possível, contando que grande parte da progênie não vai sobreviver. O inaceitável é que a liberdade propiciada por esses três conhecimentos ainda não esteja disponível a toda a humanidade e que em algumas regiões do planeta as condições de vida estejam piorando.

5. A origem da solidariedade

Terri Schiavo, uma italiana com uma lesão cerebral irreversível, foi cuidada e alimentada por quinze anos por seus familiares, até seu marido obter na Justiça o direito de desligar os aparelhos que a mantinham viva. Esse nível de solidariedade entre membros de uma espécie animal só existe entre os *Homo sapiens*. Se Terri pertencesse a qualquer outra espécie, teria sido abandonada a seu destino. Apesar de conhecermos exemplos de solidariedade entre animais, em nenhum caso ele é tão evidente quanto nas sociedades humanas. Mas quando, em nossa história, surgiu essa característica? Um crânio de quase 2 milhões de anos fornece uma pista importante.

O crânio e a respectiva mandíbula pertencem a um animal do gênero *Homo*, um ancestral recente do homem, e foram descobertos na região de Dmanisi, atual República da Geórgia, na Eurásia. O local de onde ele foi desenterrado contém outros ossos de animais, indicando que nosso amigo pertencia a uma comunidade de caçadores que processavam a carcaça das presas e provavelmente se alimentavam da carne. O que chamou a atenção é que tanto o crânio quanto a mandíbula não possuem dentes. Só esse achado não seria inusitado, pois os dentes muitas vezes são separados dos ossos após a morte. O que realmente faz do achado uma descoberta única é que tanto os buracos onde se encaixam os dentes quanto as regiões da mandíbula e da maxila que os sustentam foram completamente reabsorvidos e remodelados, um fenômeno bem conhecido e que ocorre de forma lenta durante os anos que se seguem à perda dos dentes. Dada a extensão do remodelamento e levando em conta o que se conhece desse processo nos primatas modernos, os cientistas concluíram que nosso amigo ficou sem os dentes muitos anos antes de morrer. E na verdade nem perdeu todos; um dos caninos desapareceu um pouco antes de sua morte, pois tanto o buraco quanto o osso ao redor do dente estão preservados, o que descarta que ele tenha nascido sem dentes.

Apesar de serem bastante comuns crânios onde faltam dentes, é extremamente raro encontrar fósseis ou crânios de carnívoros, ou até de hominídeos, que tenham sobrevivido à perda total dos dentes. A razão é simples: quando perdem parte dos dentes e deixam de ser capazes de se alimentar, esses animais morrem depressa, muito antes de a arcada dentária se remodelar. Provavelmente o único local onde se podem achar crânios com perda total de dentes e uma reabsorção óssea extensa é nos cemitérios modernos. Mas nesse caso, junto ao crânio, serão encontradas peças de plástico e cerâmica, as conhecidas dentaduras.

Esse achado demonstra que nosso amigo viveu durante anos ou talvez décadas sem dentes e que, mesmo pertencendo a uma comunidade de caçadores, sobreviveu. Como teria se alimentado? Será que seus companheiros deixavam o tutano dos ossos ou o fígado dos animais para ele chupar? Que mecanismos sociais garantiam sua alimentação?

Qualquer que seja a explicação, ela envolve algum grau de solidariedade entre aquele grupo de caçadores, um grau de solidariedade muito maior que o encontrado hoje em qualquer espécie de primata. A solidariedade parece ter surgido em nossos ancestrais há mais de 2 milhões de anos.

Mais informações: "The earliest toothless hominin skull". Nature, *vol. 434, p. 717, 2005.*

6. Ju/wasi: 35 mil anos de harmonia com a natureza

Nos últimos 150 anos o homem conseguiu a façanha de quintuplicar sua população. O custo, porém, foi a destruição do meio ambiente. Agora nos perguntamos se as mudanças são reversíveis e até que ponto estamos dispostos a sacrificar nosso modo de vida para reverter esse processo. Como seria nossa vida se abandonássemos a agricultura, os animais domesticados, a tecnologia e tentássemos viver no planeta sem destruí-lo? É difícil saber, mas é possível ter uma ideia estudando uma sociedade que durante 35 mil anos explorou de maneira sustentável seu meio ambiente. É o caso dos ju/wasi, que habitam as savanas em torno do deserto de Kalahari, na África.

Em 1950 o empresário Laurence Marshall, um dos fundadores da Raytheon (onde foi desenvolvido o forno de micro-ondas), se aposentou e decidiu levar a família para o deserto de Kalahari. Foi lá que descobriram os ju/wasi e conviveram com eles por décadas. Em 2006, 56 anos depois da primeira expedição, a filha de Laurence publicou um livro no qual descreve de maneira apaixonada como os ju/wasi conseguiram viver durante milhares de anos perfeitamente integrados a seu ecossistema. Por ironia, a Raytheon acabou se transformando em um dos maiores fabricantes de armas do planeta e a cultura ju/wasi foi praticamente destruída por guerras e conflitos com os colonizadores europeus.

Os ju/wasi não praticam a agricultura nem nunca domesticaram um animal. Não constroem cidades nem casas, dormem no chão e vivem em constante migração, alimentando-se da caça e dos vegetais coletados todos os dias. Praticamente não estocam comida. Vivem em grupos pequenos de algumas dúzias de pessoas, o máximo que o meio ambiente pode suportar sem ser degradado. Os ju/wasi conhecem profundamente a botânica da savana, se alimentam de mais de oitenta tipos diferentes de vegetais e voltam à mesma árvore ano após ano para colher frutos e tubérculos. Caçam utilizando flechas envenenadas ou simplesmente correndo dias e dias atrás dos animais, até eles, exaustos, se entregarem e serem abatidos. Os ju/wasi também fazem parte da cadeia alimentar das savanas e por isso são caçados pelos leopardos que atacam os acampamentos durante a noite. Ao se deslocarem para obter alimentos, levam todos os seus bens: um pedaço de madeira para cavar raízes, um par de gravetos para fazer fogo, arco, flechas, lanças e uma casca de ovo de avestruz para transportar água. Idosos que não conseguem acompanhar o grupo muitas vezes são devorados pelas hienas. Como cada mulher não pode carregar mais que uma criança, o espaçamento entre os filhos em geral é de quatro anos. Cada criança que nasce é examinada cuidadosamente pela mãe, que, ao menor sinal de malformação, sacrifica o filho. Eles cuidam da própria seleção natural. Carregar um filho por quatro anos para depois ele morrer por não conseguir acompanhar o grupo nas andanças do dia a dia é um custo que os ju/wasi não podem pagar.

Atualmente um número crescente de pessoas acredita que uma volta ao passado poderia solucionar parte dos problemas da humanidade. Estamos tão distantes de nossos ancestrais que somos presas fáceis de fantasias de uma vida idílica em meio à natureza. São essas fantasias que alimentam os movimentos obscurantistas que têm se oposto ao desenvolvimento científico e tecnológico. Ler sobre a difícil vida dos ju/wasi é um choque de realidade. Nosso futuro no planeta Terra é incerto, mas o passado, com certeza, não faz parte dele.

Mais informações: The old way. A story of the first people, *de Elizabeth Marshall Thomas, Farrar Straus Giroux, Nova York, 2006.*

7. Nas primeiras cidades os primeiros massacres

As primeiras cidades surgiram há 6 mil anos entre os rios Tigre e Eufrates. Uma das mais estudadas é a cidade de Uruk, localizada ao sul de Bagdá, no Iraque. As guerras na região forçaram os arqueólogos a concentrar esforços em sítios arqueológicos mais ao norte, e para espanto geral lá encontraram diversas cidades da mesma época. Um dos locais mais interessantes foi descoberto em Tell Brak, um sítio arqueológico no leste da Síria, quase na fronteira com o Iraque. Lá teria ocorrido uma das primeiras batalhas pela conquista de uma cidade.

Tell Brak surgiu há 5 mil anos em uma pequena colina de tamanho equivalente a uma área de cinco quarteirões modernos. Cerca de 4 mil anos atrás, expandiu-se para uma área equivalente ao Jardim Europa da São Paulo atual. Não se sabe quantas pessoas viviam ali, mas a presença de grandes quantidades de matérias-primas importadas, como a obsidiana, um material vulcânico vitrificado que não existe na região, sugere que existiam pequenas fábricas de utensílios e tecidos na cidade. Por volta de 3600 anos atrás, ocorreu uma mudança no tipo de vasos produzidos em Tell

Brak. Os utensílios da cultura original desapareceram e foram substituídos por vasos semelhantes aos encontrados em Uruk.

Há dois anos, uma empresa decidiu construir um depósito de cereais em uma região ao sul da colina de Tell Brak. Para proteger o depósito contra ratos, cavaram-se trincheiras em volta da construção. Quando elas estavam sendo cobertas de veneno, os empreiteiros depararam com uma enorme quantidade de esqueletos. Recentemente arqueólogos obtiveram permissão para escavar a área e já estudaram quase uma centena dos esqueletos encontrados no que parece ser uma enorme cova coletiva com centenas ou talvez milhares de pessoas mortas em uma batalha.

Os esqueletos de jovens e adultos apresentam sinais claros de violência, como fraturas de crânio e ossos partidos. Além disso, a ausência das extremidades, dedos e mesmo mãos, e o fato de as cabeças terem sido separadas dos corpos quando eles foram enterrados sugerem que os mortos foram coletados de maneira descuidada vários dias ou semanas após a morte. Tudo indica que se travou uma feroz batalha nas fronteiras de Tell Brak. Até o momento não se sabe quem venceu, se os atacantes ou os moradores da cidade, mas há indícios de ter havido uma grande festa após a batalha. Na camada imediatamente acima dos corpos encontrou-se uma grande quantidade de ossadas de animais domésticos queimadas e utensílios de cerâmica, sugerindo que os vencedores comemoraram a vitória com um enorme churrasco coletivo. Os restos da festança foram enterrados junto com os mortos. As pesquisas ainda estão em estado inicial e muitas novas informações devem ser obtidas nos próximos anos. O que é certo é que Tell Brak sobreviveu a essa guerra por mais duzentos anos e os seres humanos deixaram o local cerca de 3400 anos atrás.

O interessante é que o aparecimento das primeiras cidades provavelmente fez surgir pela primeira vez disputas ferrenhas por uma dada localidade. Enquanto as populações humanas eram nômades, o grupo atacado fugia com facilidade, abandonando os acampamentos e preservando vidas. Com as cidades, os bens materiais passaram a valer o suficiente para justificar grandes guerras. Cinco mil anos depois, no mesmo território, os homens ainda estão guerreando por bens materiais, no caso o petróleo do Iraque.

Mais informações: "Earlier urban development in the Near East". Science, *vol. 317, p. 1188, 2007.*

8. O Vesúvio na Idade do Bronze

O Vesúvio é considerado o vulcão mais perigoso do planeta. Tem o hábito de explodir violentamente e está próximo dos 3 milhões de pessoas que vivem nos arredores de Nápoles. Em 79 d.C., destruiu Pompeia e, no período de 1660 a 1944, nunca se passaram mais de sete anos sem ter havido alguma erupção sua. Desde 1944, porém, quando destruiu 88 bombardeiros B-25 americanos estacionados em uma base aérea próxima a ele, o Vesúvio tem estado quieto. É o seu mais longo período de inatividade nos últimos séculos.

O plano preparado para evacuar Nápoles em caso de erupção talvez precise ser alterado. Escavações arqueológicas recentes permitiram reconstituir o estrago que o Vesúvio fez 3780 anos atrás, quando destruiu várias aldeias da Idade do Bronze. Tudo indica que a destruição de Pompeia tenha sido uma versão menor da erupção de 1774 a.C.

Nápoles está a dez quilômetros do Vesúvio; o sítio arqueológico de Nola, a quinze quilômetros. Nesse local foi descoberta uma vila da Idade do Bronze totalmente preservada sob uma imensa camada de cinzas. Nola foi encontrada intacta. As cabanas estavam preservadas apesar de o teto ter colapsado sob o peso da chuva de pedras. Encontraram-se preservados jarros, utensílios domésticos e alimentos em cima dos móveis primitivos. Nove cabras prenhes foram achadas presas dentro de gaiolas, um cachorro morreu encolhido atrás de uma treliça de madeira. O espantoso é que foram detectados poucos esqueletos humanos. Pegadas impressas sobre uma primeira camada de cinzas estavam preservadas, indicando a movimentação dos habitantes da vila logo após o início da erupção. São milhares de pegadas, todas de pessoas correndo na direção oposta ao vulcão. Somadas à ausência de esqueletos, elas indicam que a população teve tempo de evacuar a vila antes de ela ser soterrada.

Juntando os achados arqueológicos com o que se sabe sobre as erupções do Vesúvio, foi possível reconstituir um possível cenário para os acontecimentos de 1774 a.C. A erupção foi provavelmente semelhante à descrita por Plínio em 79 d.C.

Nas primeiras horas após a explosão, o Vesúvio expeliu uma grande quantidade de fragmentos de rocha e uma mistura de vapor de água, cinzas e magma liquefeito. Essa mistura formou uma enorme coluna de vários quilômetros de altura. Enquanto as rochas maiores caíram nos arredores do vulcão, os fragmentos menores, juntamente com as cinzas, formaram dunas nos cinco a dez quilômetros em volta do vulcão. A região de Nola, mais distante, foi atingida por uma chuva composta de cinzas e vapor condensado.

Foi sob essa chuva que a população começou a evacuar a vila, abandonando animais e utensílios. Tudo indica que as pessoas conseguiram se salvar. Apesar de haver indícios arqueológicos de que a população tentou reconstruir a vila nos anos seguintes, esses novos acampamentos foram logo abandonados. A área permaneceu deserta por centenas de anos.

É interessante pensar que a reconstituição de eventos que ocorreram há quase 4 mil anos possa ajudar a salvar vidas em um futuro relativamente próximo.

Mais informações: "The Avellino 3780-yr-B.P. catastrophe as a worst-case scenario for a future eruption at Vesuvius". Proc. Natl. Acad. Sci. USA, *vol. 103, p. 4366, 2006.*

9. Faz 100 mil anos que usamos roupa

Primeiro nossos ancestrais perderam os pelos, depois descobriram que era possível proteger o corpo utilizando a pele de outros animais, até que, por fim, começaram a fabricar roupas. Durante anos os cientistas acreditaram ser impossível descobrir quando o homem primitivo passou a se vestir. Isso porque peles e tecidos não se mantêm preservados junto com os ossos nos sítios arqueológicos.

Tudo indicava que a pré-história da moda estava perdida, até que o filho de um biólogo molecular alemão chegou em casa com uma carta da escola informando que toda a classe estava contaminada por piolhos. Curioso, o pai se pôs a estudar o genoma dos piolhos e assim conseguiu determinar em que época passamos a utilizar roupas. Mas como o genoma de um piolho pode conter informações sobre a origem do vestuário?

Cada espécie de primata possui seu próprio piolho, e o piolho de uma espécie geralmente não vive em outra. Os piolhos só se propagam através do contato íntimo entre indivíduos. Quando um macaquinho recém-nascido se aconchega à mãe, ele é contaminado. O mesmo ocorre nas escolas, quando um aluno com piolhos acaba contaminando toda a classe durante o empurra-empurra do recreio.

Como os piolhos não conseguem viver muito tempo longe da pele do hospedeiro, sua evolução depende da evolução daquele. O importante nessa história é que a espécie humana convive com duas espécies de piolhos. Uma, o *Pediculus humanus capitis*, vive exclusivamente em nossa cabeça. Outra, o *Pediculus humanus corporis*, vive em nossas roupas. Como a segunda espécie é muito parecida com a primeira, mas depende de nossos trajes para viver, ela só deve ter surgido depois que passamos a usá-los. Com base nessa premissa, os cientistas imaginaram que, se descobrissem quando o *Pediculus humanus corporis* surgiu, esse momento deveria corresponder à época em que o homem passou a se cobrir com roupas.

Para determinar quando o piolho das roupas se originou, os cientistas compararam genes de diferentes macacos (inclusive do homem) com genes de seus respectivos piolhos. Com essa comparação foi possível demonstrar que quanto maior a diferença entre os genes de dois macacos, maior a diferença entre os genes de seus piolhos. Assim, espécies de macacos que se separaram há 10 milhões de anos possuem piolhos cujos genes são muito diferentes entre si, enquanto espécies que se separaram há pouco tempo carregam piolhos cujos genes são mais parecidos. Dessa maneira foi possível determinar uma relação direta entre o número de diferenças entre os genes de espécies distintas de piolhos e o tempo decorrido desde que elas se separaram. É o que se chama de cronômetro molecular, um método capaz de determinar o tempo decorrido desde que as espécies se separaram analisando-se as diferenças existentes entre genes dessas espécies.

Com base nesses dados, foi possível demonstrar que o *Pediculus humanus capitis* e o *Pediculus humanus corporis* se tornaram espécies distintas há somente 107 mil anos, ou seja, 105 mil anos antes do nascimento de Cristo. Como esse novo piolho foi selecionado por causa de sua capacidade de habitar nossas roupas, é razoável concluir que foi por volta dessa época que as vestimentas surgiram. Só não foi possível determinar se nas aldeias daquele tempo já existiam passarelas, modelos, desfiles de moda...

Mais informações: "Molecular evolution of Pediculus humanus *and the origin of clothing".* Current Biology, *vol. 13, p. 1414, 2003.*

10. Um creme hidratante de 4 mil anos

Quando cientistas se dedicam a resolver problemas "menores", muitas vezes produzem verdadeiros haicais científicos, contribuições sintéticas que nos ajudam a entender um pouco mais o mundo. Entre meus preferidos, estão a explicação de por que a pipoca estoura e a relação entre atividade sexual e o crescimento da barba. É nessa categoria que incluo a descoberta da receita de um creme usado há 4 mil anos pelos romanos.

Tudo começou em Londres com a identificação de um pote de estanho de seis centímetros de diâmetro durante a escavação de um templo romano do século II a.C. Dentro dele havia um creme branco e opaco, perfeitamente conservado. Um grupo de oito cientistas, constituído por químicos, arqueólogos e historiadores, decidiu investigar sua composição usando técnicas modernas de química analítica.

Inicialmente, determinaram que o material não continha enxofre ou nitrogênio, o que descartava a presença de proteínas no creme. Como 40% da substância se dissolvia em uma mistura de álcool e clorofórmio, deveria ser algum tipo de gordura. A análise das moléculas revelou que elas vinham do tecido adiposo de um ruminante, talvez uma vaca ou um carneiro. Aquecendo o creme e analisando seus compostos voláteis, concluíram que ele não continha perfumes (sentimos cheiro porque as moléculas voláteis se soltam dos cremes e estimulam receptores no nariz). Era inodoro.

E os outros componentes, o que seriam? A queima de uma pequena porção e o estudo dos resíduos mostraram que um polímero de glicose representava 45% do peso do creme. A análise detalhada revelou que o polímero era amido (a nossa maisena de hoje), provavelmente extraído de uma planta. Os 15% restantes, por serem resistentes a uma queima a 850°C, talvez fossem moléculas inorgânicas. Após mais algumas análises, descobriu-se que o material era óxido de estanho (SnO_2, um mineral chamado de cassiterita). O pó de cassiterita finamente moído era o responsável pela cor branca opaca do creme. Essa descoberta sugere que os romanos de Londres já tinham abandonado o acetato de chumbo, um composto tóxico usado em Roma para produzir tinturas para a pele. O óxido de estanho não tem contraindicações, mas tampouco efeitos terapêuticos.

Com os componentes identificados, os químicos produziram uma amostra desse creme e — imagine a cena — o experimentaram na própria pele. De início o creme apresentou uma consistência gordurosa em razão do derretimento da gordura em contato com o calor da pele, sensação rapidamente substituída por uma textura aveludada e seca, como a de uma fina camada de pó. Essa sensação é causada pelo amido que se deposita sobre a pele após a absorção da gordura. Muito agradável, os cientistas contaram.

Se algum dia você comprar um creme com 40% de gordura animal, 45% de amido e 15% de óxido de estanho, vale a pena se perguntar quem estará recebendo os *royalties*. E nem se preocupe em verificar o prazo de validade antes de comprar: ele deve ser superior a 4 mil anos.

Mais informações: "Formulation of a Roman cosmetic". Nature, *vol. 432, p. 35, 2004.*

11. Macarrão chinês de 4 mil anos

Há mais de 4 mil anos a cidade de Lajia, na China, foi destruída instantaneamente, ainda não se sabe se por um alagamento ou por um terremoto. Desde 1999 ela vem sendo escavada por arqueólogos chineses. No ano passado, um deles achou uma cumbuca de cerâmica de boca para baixo, recoberta por uma camada de argila. Ele levantou o pote e embaixo encontrou, muito bem preservado, um emaranhado de macarrão. Tinha sido descoberto o mais antigo macarrão produzido pelo homem. Não foi possível saber com que molho foi feito, mas a receita da massa, produzida 2 mil anos antes do nascimento de Cristo, pôde ser determinada.

Os fios do macarrão eram finos, amarelos e mediam aproximadamente três milímetros de diâmetro e cinquenta centímetros de comprimento, muito mais longos que os macarrões modernos. Segundo os cientistas chineses, ele se parece muito com o macarrão La-Mian produzido na China. Esse tipo de macarrão é preparado a partir de rolos de massa esticados manualmente.

Mas com que vegetal teria sido preparada a massa do macarrão? Apesar de os macarrões atuais, em sua maioria, serem feitos com farinha de trigo, é possível prepará-los também com farinhas obtidas de sementes de diversos grãos, como arroz ou cevada. As sementes são em geral trituradas ou moídas para produzir uma farinha que depois é misturada com água para fazer a massa. As sementes estão envoltas em uma casca repleta de grãos de amido e proteína. Quando examinadas em um microscópio, se veem nas cascas ranhuras e saliências formando desenhos, tal como marcas de impressões digitais. Como cada planta produz sementes com desenhos exclusivos, é possível identificar a espécie vegetal que produziu a semente ao se examinarem os restos de casca.

No intuito de identificar a planta utilizada para fazer o macarrão, os arqueólogos compararam os fragmentos de casca encontrados no macarrão com uma coleção de cascas dos vegetais cultivados na China moderna, além das encontradas em diferentes sítios arqueológicos. Concluíram que a massa havia sido preparada com uma mistura de dois tipos de painço ("*millet*" em inglês), um vegetal bastante plantado no Brasil e muito utilizado como ração de aves. Eles comprovaram a identidade da planta analisando o formato microscópico dos grãos de amido, pois estes também apresentam formatos diferentes. Os grãos de amido encontrados no macarrão eram semelhantes aos dos painços *Panicum miliaceum* e *Setaria italica*. Esses dois tipos são plantados até hoje em diversas partes do mundo. A receita da massa de macarrão foi desvendada. Anote: prepare uma farinha de painço, misture-a com água (talvez seja necessário adicionar ovos para dar liga), depois faça rolinhos no formato de lápis e os estique manualmente até obter fios de três milímetros de espessura. Pronto, é só cozinhar.

Estou à espera de que algum restaurante resolva preparar esse macarrão, para então podermos apreciar a verdadeira cozinha neolítica chinesa. Quanto aos italianos e árabes, se quiserem manter o título de inventores do macarrão, terão de descobrir um mais antigo do que o encontrado em Lajia.

Mais informações: "Millet noodles in Late Neolithic China". Nature, *vol. 437, p. 967, 2005.*

12. O que aprendemos com o leite do cavalo

Se você ainda não bebeu Koumiss, lembre-se de experimentar na sua próxima visita ao Cazaquistão. Esse fermentado produzido com leite de éguas é considerado uma das bebidas alcoólicas mais antigas do mundo. Os ingleses dizem que ela é "horrível", mas os habitantes das planícies do norte do Cazaquistão devem ter a mesma opinião sobre o uísque escocês. De qualquer forma, o Koumiss desempenha um papel central na recente descoberta de que os cavalos foram domesticados 1500 anos antes do que imaginávamos.

Como o esqueleto de um cavalo não informa se ele era ou não domesticado, é difícil saber quando nossos ancestrais domesticaram esse animal. O fato é que ossos de cavalos são encontrados em sítios arqueológicos datados de 6 mil anos. Como sabemos que nossos ancestrais caçavam e consumiam carne de cavalo muito antes de sua domesticação, e continuaram a enterrar seus ossos perto das aldeias até muito recentemente, é difícil utilizar dados arqueológicos para datar quando passamos de predadores a criadores de cavalos. A mais antiga "prova" de sua domesticação é de

2 mil anos a.C. e consiste em uma espécie de túmulo onde foram encontrados um cavalo e sua carroça. Muitos pesquisadores já desenterraram dentes de cavalos com abrasões típicas das causadas pelo uso de freios de metal, mas entre os arqueólogos existe uma grande controvérsia se as abrasões não poderiam ter surgido em cavalos selvagens.

Já na pré-história nossos ancestrais não apreciavam a tarefa de lavar a louça após as refeições, o que permitiu que os cientistas da atualidade utilizassem métodos sofisticados de química analítica para analisar os restos de comida preservados junto com os potes de cerâmica. Esse método foi utilizado em 2008 para identificar gorduras do leite de vaca em vasos de cerâmica de sítios arqueológicos com mais de 8 mil anos de idade. Isso levou os arqueólogos a acreditar que domesticamos os bovinos por volta de 6 mil anos a.C.

Em 1990, durante escavações no Cazaquistão, foram descobertas diversas aldeias de 3500 anos a.C. Nelas foram encontrados ossos de cavalos e potes de cerâmica. Em cinquenta potes havia lipídios de origem equina, gorduras existentes tanto na carne quanto no leite das éguas, mas como os músculos são sintetizados durante todo o ano e o leite somente no verão (quando nascem os potros) os cientistas imaginaram que seria possível determinar a origem das gorduras medindo a quantidade de deutério. Esse isótopo de hidrogênio existe em maior quantidade nas chuvas de verão, sendo mais raro nas chuvas de inverno. Quando as amostras de gorduras foram analisadas, concluiu-se que eram ricas em deutério e, portanto, provenientes do leite das éguas.

O resultado comprovou, sem sombra de dúvida, que os potes estavam sujos de leite de égua e possivelmente eram utilizados para armazenar leite ou Koumiss. De posse desse dado, os cientistas concluíram que nossos ancestrais já haviam domesticado os cavalos 3500 anos a.C. Como os cientistas afirmam, você já tentou ordenhar uma égua selvagem?

Mais informações: "Trail of mare's milk leads to first tamed horses". Science, *vol. 322, p. 368, 2008.*

13. As tâmaras da época de Cristo

No filme *Jurassic Park* cientistas trazem de volta à vida dinossauros extintos há milhões de anos. Em escala muitíssimo menor, foi exatamente isso que um grupo de cientistas de Israel fez ao trazer de volta à vida uma variedade de palmeira já extinta. É provável que nos próximos anos venhamos a saborear as tâmaras consumidas pelos contemporâneos de Jesus Cristo. Já consigo ver os anúncios nos supermercados.

Tâmaras são um fruto produzido pela palmeira *Phoenix dactylifera*. Seu cultivo se iniciou no golfo Pérsico há mais de 5 mil anos e existem registros de seu plantio na Mesopotâmia, no Egito e na Arábia. Hoje a tâmara é produzida em diversos continentes e existem dúzias de variedades sendo cultivadas. Como a maioria das frutas, a variedade original, aquela domesticada pelo homem, foi substituída por variedades modernas selecionadas pelos agricultores ao longo de milhares de anos. Da mesma maneira que não conhecemos o gosto da carne de um mamute ou o da maçã provada por Eva, tampouco sabemos como era o sabor das frutas produzidas pelas variedades cultivadas por nossos ancestrais. Mas agora, pelo menos no caso das tâmaras, isso vai mudar.

Entre 1963 e 1965, um grupo de arqueólogos escavou um forte em Massada, na beira do mar Morto, construído por Herodes em 65 a.C. e destruído pelos romanos em 73 d.C. Em suas ruínas foram encontradas diversas sementes, que apenas em 2005 foram identificadas como de tâmaras e submetidas à análise de carbono 14 para verificar sua idade. Os resultados indicaram que as sementes foram coletadas por volta da época do nascimento de Cristo, entre 200 a.C. e 25 d.C.

Três dessas sementes foram plantadas, e oito semanas depois uma germinou. Apesar de as folhas iniciais apresentarem sinais de falta de nutrientes, a planta sobreviveu e aos quinze meses foi transplantada para um vaso grande. A planta continua a crescer e os cientistas acreditam poder reproduzi-la nos próximos anos. Enquanto isso, testes genéticos feitos com DNA extraído dela demonstraram que é uma variedade realmente diferente. Quando seu DNA foi comparado com o DNA das diversas variedades de tâmaras cultivadas hoje, foi possível demonstrar que essa variedade não corresponde a nenhuma das variedades modernas. Destas, as mais semelhantes são as cultivadas no Iraque e no Egito e as mais distantes as cultivadas no Marrocos.

Assim que a árvore atingir a maturidade, os cientistas terão um novo desafio, que é produzir frutos a partir de um único espécime. Ao contrário de muitas outras plantas, a *Phoenix dactylifera* produz plantas do sexo masculino e do feminino, sendo que somente as do sexo feminino produzem frutas. Se a tâmara do forte de Herodes for do sexo feminino, será fácil produzir frutos polinizando as flores com pólen de uma variedade moderna, mas eles não serão 100% derivados da linhagem original. Talvez o mais fácil seja convencer os arqueólogos a cederem mais algumas sementes e tentar obter uma segunda planta do sexo oposto.

Se tudo der certo, nos próximos anos essas plantas vão iniciar sua produção de frutos e finalmente poderemos saber o verdadeiro sabor das tâmaras consumidas há 2 mil anos. Não se sabe se tâmaras foram servidas na Santa Ceia, mas, se foram, provavelmente eram provenientes dessa variedade.

Mais informações: "Germination, genetics, and growth of an ancient date seed". Nature, *vol. 320, p. 1454, 2008.*

14. Coprólitos e a descoberta da América

Os verdadeiros descobridores da América foram os homens que deixaram a Ásia, cruzaram o estreito de Behring e chegaram ao Alasca. Pontas de lanças feitas de pedra, os artefatos mais antigos encontrados nos Estados Unidos, foram produzidas há 13 mil anos por um povo denominado civilização Clóvis, que se espalhou pela América do Norte e Central. Até recentemente se acreditava que eles haviam sido os primeiros humanos a habitar nosso continente. Agora, a análise de um coprólito sugere que mil anos antes do aparecimento da civilização Clóvis já existiam seres humanos na América do Norte.

Coprólito é o nome científico de fezes fossilizadas. Da mesma maneira que é possível conhecer muito sobre a vida de uma família examinando o lixo que ela produz em casa, cientistas são capazes de descobrir muito sobre a vida de um animal através da análise de suas fezes. Com a identificação das sementes de plantas presentes nas fezes, é possível deduzir os hábitos alimentares de animais extintos.

Em 2002 foram descobertos catorze coprólitos em uma caverna no Oregon. Pela forma das fezes, os cientistas inferiram que elas eram de origem humana. Quando a idade desse material foi determinada através do método do carbono 14, descobriu-se que os coprólitos tinham mais de 14 mil anos e eram mil anos mais velhos que as pontas de lanças da civilização Clóvis. De um momento para o outro essas fezes se tornaram importantes. Se isso fosse verdade, o homem teria chegado ao continente antes do que se imaginava. O problema é que o formato das fezes humanas é muito parecido com o das fezes de cachorros, e alguns cientistas defendiam a tese de que na verdade os detritos pertenciam a algum cachorro ou lobo. Recentemente os cientistas extraíram amostras de DNA dos coprólitos. O sequenciamento desse DNA demonstrou que o DNA pertencia a um ser humano (nossas fezes contêm um pouco de nosso DNA porque células de nosso intestino morrem e o DNA é excretado junto com o resto do conteúdo do intestino). Isso parecia ter posto um fim à controvérsia.

Mas esse experimento não convenceu os defensores da tese de que os coprólitos haviam pertencido a cachorros. Era necessário ainda descartar a possibilidade de o DNA humano ter contaminado os fósseis depois de sua descoberta, isso porque muitas pessoas haviam manipulado os coprólitos anos antes. Para descartar essa hipótese, o DNA de todos os cientistas que tocaram nos coprólitos foi analisado, sendo possível demonstrar que o DNA humano encontrado nos coprólitos não era de nenhum cientista. Ponto para os defensores da tese de que os coprólitos haviam pertencido realmente a seres humanos.

Mas a vida de um cientista não é fácil. Além do DNA humano, foram encontrados nos coprólitos sequências de DNA de cachorro. Será que um cachorro teria urinado sobre as fezes humanas ou será que um humano teria urinado sobre as fezes do cachorro milhares de anos mais tarde? É difícil saber com certeza, mas recentemente foram descobertos diversos fios de pelos humanos

nos coprólitos (é fácil distinguir pelos humanos de pelos de cachorro), o que fortalece a ideia de que as fezes são realmente de humanos.

A dúvida continua, mas na verdade a origem das fezes pouco importa, uma vez que se sabe, através da análise de outros coprólitos, que os seres humanos da época se alimentavam de cachorros e que os cachorros selvagens muitas vezes matavam e devoravam seres humanos, o que deixa em aberto a possibilidade de que o DNA de humanos poderia ser encontrado em fezes de cachorro e vice-versa. O dado importante é que essas fezes fossilizadas realmente têm quase 15 mil anos e, se naquela época cachorros e humanos se devoravam nas Américas, antes dessa data os primeiros humanos já haviam cruzado o estreito de Behring.

Mais informações: "DNA from fossil feces breaks Clovis barrier". Science, *vol. 320, p. 37, 2008.*

15. Como a galinha chegou ao Peru

O homem surgiu na África há 150 mil anos e chegou à Europa e à Ásia há 40 mil anos. Ao cruzar o estreito de Behring quase 15 mil atrás, alcançou o Alasca e, aos poucos, migrou em direção à América do Sul. Ao mesmo tempo, populações humanas oriundas da Ásia se espalharam pelas ilhas do Pacífico, até chegarem, 10 mil anos atrás, à Polinésia. As galinhas, domesticadas pelo homem na Ásia, acompanharam a migração humana em direção às ilhas do Pacífico. Seus ossos são encontrados juntamente com ossos humanos na grande maioria dos sítios arqueológicos em diversos arquipélagos do Pacífico. Isso contrasta com a ausência total de fósseis de galinhas nos sítios arqueológicos na América do Norte e na Central, o que indica que as galinhas não acompanharam as populações humanas que cruzaram o estreito de Behring e povoaram a América do Sul. Mas então como explicar que em 1532, quando o conquistador espanhol Francisco Pizarro chegou ao Peru, encontrou as galinhas completamente integradas na cultura inca?

Em 2002 começou a escavação do sítio arqueológico de El Arenal, no sul do Chile, a três quilômetros da costa. Entre os artefatos foram encontrados cinquenta fragmentos de ossos de galinhas, pertencentes a pelo menos cinco animais. Como a cultura El Vergel que habitou El Arenal prosperou entre os anos 1000 e 1500, os arqueólogos decidiram datar cuidadosamente os ossos através do estudo dos isótopos de carbono presentes no material. Essa análise revelou que as galinhas haviam morrido entre 1320 e 1400, antes de Colombo ter descoberto a América. Se as galinhas chegaram antes dos espanhóis, de onde teriam vindo?

O DNA presente nesses ossos foi isolado e um mesmo gene sequenciado em cada amostra. Em seguida, o gene foi isolado e sequenciado a partir do DNA extraído de ossos fossilizados oriundos de diversas ilhas do Pacífico, incluindo Toga, aonde as galinhas chegaram por volta dos anos 500; Samoa, onde existem fósseis de galinhas do ano 800; e a Ilha de Páscoa, onde as galinhas já existiam em 1300. Ao comparar essas sequências, os cientistas descobriram que os genes das galinhas chilenas eram praticamente idênticos aos das galinhas presentes na Polinésia desde o ano 1000 e muito diferentes dos das galinhas existentes na Europa ou no continente asiático.

Esse resultado demonstra que os incas obtiveram suas galinhas das populações polinésias, o que sugere que os colonizadores da Ilha de Páscoa, localizada no meio do Pacífico, provavelmente chegaram ao litoral do Chile entre 1200 e 1300. A conclusão é que os polinésios contribuíram com pelo menos as galinhas para a cultura inca. Será que existiu uma interação entre essas culturas? E quão íntima terá sido essa relação? Houve troca de tecnologia, de genes? Essa descoberta também abre a possibilidade, mais remota, de os incas terem se aventurado em viagens oceânicas em direção à Polinésia.

Mais informações: "Radiocarbon and DNA evidence for a pre-Columbian introduction of Polynesian chickens to Chile". Proc. Natl. Acad. Sci. USA, *vol. 104, p. 10335, 2007.*

VIII. ARTE

1. Novos dados sobre a origem da arte

Em algum momento nossos ancestrais deixaram de ser macacos para se tornar homens. Gostamos de associar essa transição ao aparecimento de hominídeos com esqueletos típicos do *Homo sapiens*. Mas o correto seria poder identificar a partir de quando nossos ancestrais passaram a dar sinais da sensibilidade e da criatividade que caracterizam o homem moderno. Como, porém, descobrir nos fósseis quando tais sentimentos surgiram? Utensílios e objetos decorativos são os únicos indícios que sobreviveram o suficiente para que os arqueólogos possam determinar quando nos humanizamos.

A polêmica causada por um estudo recente baseado em três conchas encontradas nas gavetas de museus de Londres e Paris mostra como é difícil estudar a origem da arte na história do homem. Até dois anos atrás se acreditava que o homem teria iniciado sua produção cultural há cerca de 40 mil anos. Existem milhares de exemplos de objetos, pinturas e joias criados por nossos ancestrais nessa época.

Tudo mudou quando, em 2004, foram encontradas 41 conchas perfuradas na caverna de Blombos, na Cidade do Cabo, África do Sul. Como os furos pareciam ter sido feitos artificialmente e as conchas estavam agrupadas, os cientistas concluíram que elas deveriam ter constituído um colar. O problema é que o sítio arqueológico onde essas conchas foram encontradas data de 75 mil anos, o que demonstraria que o homem já era vaidoso 35 mil anos antes do que se imaginava. Essa interpretação foi muito criticada, pelo fato de esse tipo de artefato não ter sido encontrado em outros locais da mesma época.

Foi então que os arqueólogos pensaram em buscar conchas perfuradas semelhantes às encontradas na África do Sul. O interessante é que para isso eles não precisavam escavar novamente os sítios arqueológicos; bastava procurar nas gavetas dos museus. Quando se escava um sítio arqueológico, tudo que é encontrado fica registrado e guardado cuidadosamente nos museus que coordenaram as escavações. Nas gavetas do Museu de História Natural de Londres foram encontradas duas conchas que haviam sido coletadas nas escavações feitas em 1931 e 1932 em um abrigo no monte Carmelo, distante três quilômetros de Haifa, em Israel.

As conchas foram enterradas juntamente com vários esqueletos humanos entre 100 mil e 135 mil anos atrás. Apesar de não ser possível determinar se os furos foram feitos pelo homem, o fato de a caverna estar a mais de três quilômetros do oceano indica que as conchas foram levadas ao local.

Enquanto isso, no Museu do Homem, em Paris, foi encontrada uma concha com as mesmas características, também com mais de 50 mil anos, proveniente de uma escavação em Oued Djebbana, na Argélia, a duzentos quilômetros do Mediterrâneo.

Os cientistas acreditam que esses novos achados corroboram as descobertas de Blombos e indicam que a prática de fazer colares de conchas foi popular durante mais de 30 mil anos em diversas comunidades da África e do Oriente Médio.

A descoberta põe por terra a crença europeia de que o homem teria surgido na África e a cultura só mais recentemente, na Europa.

Mais informações: "Middle Paleolithic shell beads in Israel and Algeria". Science, *vol. 312, p. 1785, 2006.*

2. Cáries e brocas pré-históricas

Cemitérios fazem a felicidade dos arqueólogos. Nesses locais é possível analisar centenas de esqueletos acumulados ao longo de muitas gerações, possibilitando que se investiguem as características das populações pré-históricas e se estude de que doenças e com que idade teriam morrido.

Alguns arqueólogos constroem sua carreira escavando cemitérios, e foi num deles, no Paquistão, que se descobriu um dos primeiros indícios do que hoje chamamos de dentística.

O cemitério, denominado de MR3, foi descoberto em uma das rotas que ligam o Afeganistão ao vale do rio Indus, região ocupada inicialmente por tribos nômades e mais tarde por civilizações que se dedicavam ao cultivo de algodão e de cereais. Nele foram escavadas mais de trezentas sepulturas de uma população neolítica. Os corpos mais antigos foram sepultados há 9 mil anos e os mais recentes, 5500 anos antes do nascimento de Cristo. Lá foram encontrados nove esqueletos — quatro mulheres, dois homens e três de sexo indeterminado —, todos com cavidades escavadas nos dentes. No total foram encontradas doze proto-obturações. As cavidades foram feitas na superfície utilizada para a mastigação e têm de um a três milímetros de diâmetro e até três milímetros de profundidade. Elas atravessam o esmalte do dente e atingem a dentina. Fazer o furo deve ter causado dor. Algumas das cavidades têm um formato cônico, outras esférico, o que provavelmente reflete o tipo de broca utilizado. Apesar de a superfície dos buracos ainda apresentar as marcas das brocas, foi possível determinar que os furos foram feitos antes da morte dos indivíduos, uma vez que o uso dos dentes desgastou as bordas das cavidades.

Instrumentos que podem ter servido de brocas foram encontrados no local. Eles provavelmente eram fixados em hastes de madeira. Usava-se um arco para girar a broca e produzir a cavidade, uma tecnologia utilizada na perfuração de sementes para fazer colares. Tentativas de repetir a operação empregando as brocas originais e dentes modernos demonstraram que os furos podiam ser feitos em questão de minutos.

Pouco se sabe sobre o motivo que levou esse povo a produzir as cavidades. Dificilmente poderiam servir de ornamento, pois os molares tratados, por serem posteriores, não ficam à mostra. Também não se encontrou no interior das cavidades algum material que desempenhasse o papel das modernas obturações. É possível que a função das escavações fosse aliviar a dor provocada pelas cáries. O fato é que a tecnologia foi abandonada, pois nas centenas de sepulturas mais recentes não foram encontrados dentes "tratados".

Estudos como esse mostram como uma tecnologia pode demorar milhares de anos para se desenvolver, desde as primeiras experiências abandonadas até seu aperfeiçoamento e uso generalizado. Qual será a reação dos arqueólogos daqui a milhares de anos, quando escavarem nossos cemitérios e encontrarem incrustações, coroas, pontes e dentaduras? Provavelmente dirão: "Este povo ainda não possuía vacinas contra cáries nem sabia regenerar dentes".

Mais informações: "Early Neolithic tradition of dentistry". Nature, *vol. 440, p. 755, 2006.*

3. O comércio pré-histórico de brincos de jade

A descoberta de um mesmo modelo pré-histórico de brinco de jade em diversos sítios arqueológicos do sudeste da Ásia intrigava os arqueólogos. Mas recentemente o mistério que cercava esse brinco de cerca de três centímetros, chamado de *lingling-o*, foi esclarecido. Através da análise do jade utilizado em sua confecção, foi possível descobrir como esse modelo de brinco se espalhou pela Ásia.

O *lingling-o* é um brinco esculpido em um único pedaço de jade. Ele tem a forma de uma espiral que diminui de espessura na extremidade. Ao longo da espiral existem três pequenas estruturas no formato de torres pontiagudas. O mistério que intrigava os arqueólogos é que esses brincos, sempre com o mesmo desenho básico, foram encontrados em sítios arqueológicos da época neolítica (entre 1500 a.C. e 500 d.C.) descobertos na China, em Taiwan, nas Filipinas, no Vietnã e até na costa norte da ilha de Bornéu. Como são locais que distam 3 mil quilômetros um do outro e são separados pelo mar da China, era difícil explicar como esse tipo de brinco teria se espalhado pela Ásia em uma época em que praticamente não existiam meios de transporte eficazes.

Uma equipe de cientistas desvendou o mistério utilizando uma técnica capaz de determinar a composição exata dos diversos elementos químicos presentes no jade. Eles examinaram a composição de 144 brincos descobertos em 49 locais diferentes. A conclusão, absolutamente inesperada, foi que 116 dos 144 brincos haviam sido esculpidos a partir de um único tipo de jade. Como o jade de cada mina possui um teor diferente de magnésio, zinco, silício e cromo, a quantidade desses elementos é uma espécie de impressão digital capaz de identificar a mina de onde a pedra foi extraída. De posse da composição do jade presente nos 116 brincos, os cientistas examinaram o jade de todas as minas da Ásia para descobrir de onde esse tipo havia sido retirado. A conclusão foi que o jade de todos os *lingling-o* tinha vindo de uma única mina em Taiwan.

Essa descoberta demonstra que não foi o "design" do brinco que se espalhou entre as diversas culturas, e sim a pedra propriamente dita. Mas será que durante 2 mil anos os artesãos de Taiwan produziram e "exportaram" esses brincos, ou será que as pedras brutas é que eram exportadas? Como em muitos desses sítios arqueológicos foram encontrados brincos em diversos estágios de fabricação, o que se acredita é que eles eram produzidos no local com o jade trazido de Taiwan. Provavelmente artesões de Taiwan, que dominavam a tecnologia, viajavam com as pedras brutas de jade e produziam os brincos em cada aldeia. Uma tarefa nada fácil. Para se ter uma ideia, na ausência de utensílios de metal, a rocha era furada e cortada com instrumentos de bambu ou pedra, utilizando-se a areia como abrasivo. Tentativas modernas de reproduzir esse método mostraram que uma pessoa leva oito horas para cavar uma ranhura de onze milímetros no jade. Provavelmente um artesão demorava diversos meses para fabricar um único brinco.

Tudo indica que durante 2 mil anos gerações de artesãos de Taiwan viajaram pelas costas do mar da China levando as pedras brutas na bagagem e o design na memória, produzindo e distribuindo os preciosos *lingling-o*. Por que esses brincos foram tão apreciados ainda é um mistério.

Mais informações: "Ancient jades map 3.000 years of prehistoric exchange in Southeast Asia". Proc. Natl. Acad. Sci. USA, *vol. 104, p. 19745, 2007.*

4. A primeira página impressa

Faz cem anos que o exemplo mais antigo de um documento impresso foi encontrado. Em 3 de julho de 1908, o arqueólogo italiano Luigi Pernier descobriu em Phaistos, no sul da ilha de Creta, um disco de cerâmica de dezesseis centímetros de diâmetro e 1,9 centímetro de espessura com um texto impresso cuja mensagem não foi até hoje decifrada.

Ao contrário dos milhares de exemplares existentes de cerâmica com símbolos em sua superfície, a mensagem contida no disco de Phaistos está impressa e não desenhada. O autor do "texto" utilizou uma coleção de carimbos com diferentes símbolos. Ele imprimiu os símbolos em baixo-relevo no disco cerâmico antes de levá-lo para queimar. A perfeição do trabalho permite verificar que toda vez que se pretendia representar determinado símbolo, o mesmo "carimbo" era utilizado. Por isso o disco é considerado um material impresso.

O contexto arqueológico onde essa peça foi descoberta indica que foi produzida entre 1850 e 1600 anos antes de Cristo, há aproximadamente 3600 anos. O disco de Phaistos foi produzido quase 3 mil anos antes de Gutenberg ter desenvolvido sua prensa e ter feito a primeira Bíblia impressa. A prensa de Gutenberg utilizava carimbos (linotipos) comprimidos contra uma folha de papel. Como a superfície dos carimbos continha tinta, as letras ficavam impressas no papel.

O disco de Phaistos foi impresso dos dois lados com a utilização de 45 carimbos distintos, um para cada símbolo. No total foram impressos 242 caracteres (este parágrafo foi escrito com 29 símbolos e possui 260 caracteres). Os caracteres não estão organizados em linhas, como nos livros atuais, mas em espirais.

Os caracteres do disco estão em grupos de três ou quatro, separados por linhas desenhadas na argila, do mesmo modo que nossas palavras vêm separadas por espaço. Os arqueólogos acreditam que cada símbolo equivale a uma sílaba, pois seu número é próximo ao número de sílabas representado na escrita silábica japonesa kana (48 sílabas) e muito maior que o número de letras existentes no maior alfabeto conhecido, o russo (36 letras).

Apesar de dezenas de interpretações terem sido propostas, o significado do texto permanece desconhecido. Desde que os hieróglifos egípcios foram decifrados em 1820, os arqueólogos decodificaram as duas escritas minoanas (em 1950), a escrita maia (por volta de 1980) e a inscrição de uma estatueta mexicana (1986). Em todos esses casos, só foi possível resolver o mistério porque diversos exemplos da mesma escrita foram encontrados. No caso do disco de Phaistos, a dificuldade reside no fato de nenhum outro exemplo dessa escrita ter sido descoberto. Muitos arqueólogos acreditam que enquanto não forem encontrados outros exemplos será impossível decifrar seu significado. O fato de termos encontrado um único exemplo da escrita utilizada pelo povo que desenvolveu o método atualmente usado para produzir, por exemplo, milhares de cópias de um livro só aumenta o mistério.

É estranho imaginar que hoje todos nós podemos examinar

o texto impresso pelos autores do disco de Phaistos, sem que provavelmente venhamos a saber o que eles tinham a dizer.

Mais informações: "A century of puzzling". Nature, *vol. 453, p. 990, 2008.*

5. Ehud, o primeiro canhoto da história

Ehud sacou uma pequena adaga com a mão esquerda e a enterrou, lâmina e cabo, na barriga de Eglon. Essa passagem do Velho Testamento é considerada a primeira referência nominal a um canhoto.

A Bíblia também relata que um exército de 26 mil homens que partiu da cidade de Gibeah contava com setecentos canhotos, todos exímios atiradores de pedras, o que permite calcular a frequência de canhotos em Gibeah: 2,7%.

Ser destro ou canhoto é em parte uma característica herdada. Casais em que ambos os pais são canhotos têm uma probabilidade maior de gerar filhos canhotos.

Em 1986, a revista *National Geographic* perguntou a seus leitores o ano de seu nascimento e com que mão escreviam. Mais de 1 milhão de pessoas responderam, e entre os leitores nascidos de 1900 a 1910, a frequência de canhotos era de 2,5%. Esse número subia para 10% entre os leitores nascidos na década de 1930 e se estabilizava em 12% após 1950. Como explicar esse abrupto aumento na frequência de canhotos em uma população?

O aumento do número de canhotos detectado poderia ser explicado pelo aumento da frequência de um gene hipotético, "canhoto", entre 1900 e 1950. O problema é que a frequência de um gene em uma população só aumenta se as pessoas com esse gene forem capazes de gerar um número de filhos maior do que o restante da população.

Ao decidirem testar essa hipótese, os cientistas tiveram uma surpresa. Quando compararam o número de filhos de casais em que os dois pais eram destros com o número de filhos de casais em que os dois pais eram canhotos, verificaram que esse número era diferente e variava ao longo do tempo.

No início do século XX, casais de destros tinham em média 3,1 filhos, um número maior que a média dos casais de canhotos, que era de 2,3 filhos. Em 1955, a situação havia se invertido: casais de destros tinham em média 2,5 filhos, enquanto casais de canhotos 2,6 filhos em média. Não se tem a menor ideia do que possa ter causado a diferença de fecundidade entre destros e canhotos, mas esses resultados ajudam a explicar por que o número de canhotos aumentou entre 1900 e 1950.

Mas se a frequência de canhotos mudou tanto em cinquenta anos, como teria variado ao longo da história da humanidade?

Sem poder perguntar aos mortos com que mão eles escreviam, os cientistas utilizaram um método indireto, que consiste em examinar as obras de arte de diferentes períodos e tabular com que frequência as pessoas foram retratadas com espadas ou outros objetos na mão esquerda.

Entre 3000 a.C. e 1950, a frequência de canhotos nas obras de arte oscila entre 5% e 12%, um intervalo semelhante ao medido pela *National Geographic*. Esse tipo de estudo, entretanto, apresenta dificuldades, como atesta *Os comedores de batata*, de Van Gogh, que retrata uma reunião de cinco canhotos. Como nas litografias a imagem impressa é a imagem espelhada da matriz desenhada pelo artista, é difícil saber qual teria sido a intenção de Van Gogh. Vale a matriz de pedra na qual Van Gogh desenhou os destros ou a gravura impressa, em que eles aparecem como canhotos? Nesse caso sabemos que eram cinco destros, pois Van Gogh comentou o erro em uma carta a seu irmão Theo. O fato é que ainda estamos longe de compreender o que controla o número de canhotos na face da Terra.

Mais informações: Right hand, left hand, *de Chris McManus, ed. Phoenix, Londres, 2002.*

6. Cupido e as abelhas de oito patas

Geralmente Cupido é retratado como uma criança confiante, com seu arco e flecha, rondando casais apaixonados. Foi o contraste com essa imagem típica de Cupido que chamou minha atenção em uma pintura do alemão Lucas Cranach (1472-1553) na Gemaldegalerie, em Berlim. Nesse quadro, denominado *Cupido reclamando com Vênus*, vemos um Cupido inseguro e choroso, sem seu arco e flecha, olhando para a mãe, suplicando por carinho e conforto. O olhar que a mãe lhe retribui parece neutro, sem crítica, mas também sem simpatia. Vista de longe, a cena é bastante estranha, porém chegando mais perto a razão da insegurança de Cupido fica clara. Em sua mão, em vez do arco, está um favo de mel e, pousadas sobre seu corpo, e voando em torno de sua cabeça, há diversas abelhas. Aí veio o susto: as abelhas tinham oito patas! Verifiquei cada uma e todas possuíam duas patas a mais. Elas estão retratadas em detalhe. É possível distinguir os três segmentos do corpo, assim como observar que todas as patas, e também as asas, se originam do mesmo segmento, como ocorre em abelhas normais. Até a proporção entre asas, tórax e olhos está magistralmente representada. Seriam abelhas perfeitas não fossem as patas extras. Será possível que Cranach não soubesse que abelhas têm seis patas? Ou aquelas oito seriam propositais?

Durante uma semana tentei encontrar (sem sucesso) algum estudo que explicasse a intenção de Cranach. O que descobri é que o tema "Cupido reclamando com Vênus" está representado em pelo menos 25 quadros produzidos pelo pintor alemão e seus discípulos, sendo o primeiro de 1527. Eles estão espalhados pela Europa e em museus nos Estados Unidos. Não consegui descobrir se em algum outro quadro as abelhas estão com oito patas (informações são bem-vindas), mas descobri um longo estudo sobre a origem da cena. O quadro retrata o que hoje chamaríamos de "uma lição de moral". Cupido escolheu o prazer imediato ao desfrutar o mel roubado, porém com o prazer veio a dor. Agora ele sofre as consequências de seu ato, o que explica o olhar crítico da mãe. Mas nas catorze páginas que o historiador Pablo Pérez D'Ors escreveu sobre o tema não existe uma única referência às abelhas de oito patas.

Se excluirmos a possibilidade de Cranach nunca ter contado as patas de uma abelha, posso imaginar duas explicações. A primeira é que os insetos de oito patas representados sejam imaginários. Nesse caso poderiam representar um híbrido imaginário entre abelhas e aranhas, as quais possuem oito patas e cuja picada pode ser mais dolorida que a de uma abelha. Se os pintores renascentistas representaram cavalos com asas ou com um único chifre, não é difícil imaginar que Cranach pudesse ter deliberadamente alterado a morfologia das abelhas. A segunda possibilidade é que, já por volta de 1500, algum naturalista tivesse identificado uma linhagem de abelhas com uma mutação em um dos genes homeóticos. A descoberta e a caracterização dos genes que controlam a segmentação do corpo dos animais durante o processo embrionário foram feitas nas últimas décadas. Desde então sabe-se que mutações nesses genes podem produzir insetos com um número maior de patas ou mesmo com seis ou oito asas. Será que algum raro mutante desse tipo foi retratado por Cranach? Deixo aqui a sugestão para uma tese a ser co-orientada por um biólogo molecular e um historiador de arte.

Mais informações: "A Lutheran idyll: Lucas Cranach the elder's Cupid complaining to Venus". Renaissance Studies, *vol. 21, p. 85, 2007.*

7. Atikythera, um computador da época de Cristo

Imagine que em um baú de Pedro Álvares Cabral fosse encontrado um aparelho semelhante a um telefone celular e que, após anos de investigação, se descobrisse que o aparelho teria servido para Cabral falar com Portugal durante sua viagem ao Brasil. Você se perguntaria: como é possível que a humanidade, tendo descoberto a tecnologia do celular, a tenha "esquecido" por quinhentos anos até sua reinvenção no século XX? Pois bem, ninguém descobriu um celular na bagagem de Cabral, mas a elucidação do mecanismo de funcionamento de um computador astronômico, construído antes do nascimento de Cristo, demonstra que o homem desenvolveu tecnologias sofisticadas que depois se perderam ao longo da história.

Em 1900, pescadores de ostras da ilha de Atikythera, na Grécia, acharam destroços de um barco romano. As moedas achadas no local permitiram determinar que o barco naufragou por volta de 85 a.C. Em seu interior foi encontrada uma caixa contendo engrenagens de cobre, corroídas e recobertas por depósitos de minerais acumulados ao longo de 2 mil anos. O artefato leva o nome de Mecanismo de Atikythera. Ele contém centenas de inscrições gravadas em suas engrenagens e está exposto em um museu grego. Cientistas associaram-se a uma empresa de tomógrafos computadorizados para construir um equipamento capaz de determinar o que existe no interior do mecanismo calcificado, e as imagens obtidas permitiram a construção de uma réplica exata dele. De posse dessa réplica, puderam então determinar seu funcionamento. O resultado é impressionante.

O mecanismo, similar a um relógio, possui trinta engrenagens, uma manivela e diversos ponteiros que se movem sobre mostradores. O mostrador maior indica os dias do ano e, à medida que se move, outros ponteiros mostram a posição do Sol, da Lua e de cinco planetas a cada dia. Três características revelam a sofisticação do aparelho. Usando um pino que move o eixo de duas engrenagens, o mecanismo é capaz de reproduzir a variação da velocidade de rotação da Lua ao redor da Terra (esse ciclo se repete a cada nove anos e se deve ao fato de o centro da órbita da Lua não coincidir com o centro da Terra). Outro mecanismo representa o ciclo Metônico, que se repete a cada 235 meses (dezenove anos), e um dos ponteiros completa uma volta a cada 223 meses reproduzindo o ciclo de Saros, usado para predizer eclipses. O mecanismo Atikythera é um computador astronômico. O impressionante é que não existe outra cópia dele, e nenhuma versão mais simples jamais foi encontrada, nem uma versão posterior. A utilização de engrenagens sumiu dos registros históricos por mais de mil anos, só ressurgindo na Idade Média, com os primeiros relógios. Então quem teria construído esse instrumento?

O projeto pode ter se iniciado com Hipparchus, que em 130 a.C. criou na ilha de Rhodes o melhor centro de pesquisas astronômicas da época. Ele foi sucedido por Posidônius, a quem Cícero atribui a construção de um mecanismo que "... a cada volta reproduz os movimentos do Sol, da Lua e de cinco planetas...".

Até 2005, todos pensavam que Cícero era muito imaginativo; agora sabemos o que ele deve ter visto nos laboratórios da ilha de Rhodes.

Mais informações: "In search of lost time". Nature, *vol. 444, p. 534, 2006.*

IX. ALIMENTAÇÃO

1. O ponto de vista do milho

Caro Fernando, como você sabe nunca fomos considerados uma das espécies mais inteligentes do planeta, nem sequer temos cérebro, não possuímos linguagem e poucos acreditam que temos uma vida sentimental (nem sei como consegui escrever esta carta). Mas nada disso tem importância no processo de seleção natural, que é a lei que impera entre os seres vivos. O que importa é deixar muitos descendentes, ocupar de maneira eficiente os ecossistemas e ser capaz de se adaptar quando o ambiente se modifica. Desse ponto de vista, acredito que somos muito mais bem-sucedidos que a espécie humana. Fomos nós, os milhos e outros colegas vegetais, que domesticamos os seres humanos, e não o contrário, como você vem pregando em seus artigos. Fomos nós que incentivamos o crescimento de sua população, para que vocês pudessem nos ajudar a cumprir nosso sonho imperialista. Hoje posso afirmar que nosso projeto foi um sucesso. Para cada um de vocês, humanos, existem mais de mil pés de milho. E tudo conquistado em menos de 10 mil anos.

Como tudo que acontece de importante entre os seres vivos,

nosso processo de domesticação dos seres humanos começou por acaso, em algum lugar do México. Naquela época, quando vivíamos em constante competição com outros vegetais por um lugar ao sol, sofremos uma série de mutações que pareciam letais. Nossos grãos, que antes se desprendiam do sabugo ao amadurecer, deixaram de se soltar, e as espigas, ainda pequenas e primitivas, deixaram de se abrir com facilidade. Com isso nossas sementes passaram a ter uma enorme dificuldade de germinar. Mas para nossa sorte, Fernando, alguns de seus antepassados viram nisso uma grande vantagem, e passaram a colher o nosso grão antes que ele caísse no chão. Além de comer esses grãos, começaram a plantar de maneira organizada os primeiros campos de milho. Foi esse acidente da natureza que permitiu domesticarmos o ser humano. Com a alimentação abundante que produzimos, pudemos induzir o homem a deixar de ser um animal primitivo e violento, caçador e coletor de alimentos, que migrava de um vale para outro exterminando grande parte dos mamíferos do planeta. Conseguimos fazer de vocês, humanos, animais relativamente dóceis. Vocês se organizaram em sociedades capazes de dedicar grande parte de seus esforços para promover a expansão e o bem de nossa espécie, a *Zea mays*.

Primeiro vocês retiraram nossos competidores da área que ocupávamos, limpando o campo antes de plantar nossas sementes e arrancando uma a uma as plantas que ameaçavam nosso crescimento. Depois inventaram o arado para facilitar a penetração de nossas raízes na terra e em seguida descobriram justamente o que necessitamos para crescer felizes. Quando nos trouxeram os adubos e a irrigação, e passaram a nos ajudar em nosso plano de expansão global com essas tecnologias, nós fomos generosos e produzimos mais alimentos para seus filhos. Afinal sabíamos que esses filhos iriam nos levar da América para a Europa e Ásia e promover nossa ambição imperialista.

Fernando, hoje posso revelar que vocês, humanos, são nossos escravos. Sem nós vocês morreriam de fome e nem sequer poderiam alimentar os diversos animais que copiaram nossa estratégia de dominação do ser humano (como as vacas e as galinhas). A dependência em relacão a nós é tanta que vocês gastam bilhões para encontrar o petróleo necessário para produzir os fertilizantes que consumimos. Outros bilhões são gastos para modificar nossa genética, a fim de que possamos ocupar áreas cada vez maiores do planeta. Seus cientistas produzem inseticidas e herbicidas que combatem nossos inimigos naturais. Fernando, lamento dizer, mas, apesar de não termos cérebro, grande parte dos cérebros da humanidade está a nosso serviço. Um abraço darwiniano do seu dono, o milho.

2. A domesticação de espécies no século XX

A vaca, o trigo, os cães e a mandioca têm uma característica em comum. Todas são espécies domesticadas pelo homem. Uma espécie só é considerada domesticada quando o homem passa a conhecer e a exercer controle sobre sua reprodução, alimentação e dispersão sobre o planeta. Milho e vacas são bons exemplos. Hoje essas espécies só crescem onde o homem permite, sua reprodução e genética são controladas por ele e todo o alimento que elas consomem é fornecido de alguma maneira por seres humanos. É quase um eufemismo chamá-las de espécies domesticadas, pois na verdade são espécies escravas do ser humano; nós as controlamos para usá-las, em geral para serem consumidas como alimentos. Atualmente o ser humano depende de um pequeno número de espécies para sobreviver. Uma parte enorme de nossa alimentação, quase 80%, provém de somente quatro espécies de seres vivos: trigo, milho, soja e arroz. Mesmo a carne que consumimos deriva dessas espécies, já que os frangos e grande parte do gado são alimentados com produtos provenientes dessas plantas. Se uma delas fosse extinta, a fome se espalharia pelo planeta.

Até 10 mil anos atrás, o homem não havia domesticado nenhum ser vivo. A domesticação das 743 espécies ocorreu em duas grandes levas. A primeira, entre 10 mil e 2 mil anos atrás. Nesse período, que corresponde ao desenvolvimento da agricultura e da agropecuária, foram domesticadas praticamente 90% de todas as espécies de plantas (as 250 espécies de frutas e cereais) e todas as espécies de animais terrestres (44). A maioria dos animais são mamíferos e aves. Outros grupos acham-se muito pouco representados. O bicho-da-seda e os caramujos estão entre os raros animais terrestres domesticados que não são mamíferos. Quando Cristo nasceu, esse ciclo de domesticação já tinha se encerrado.

Nos últimos 1900 anos, um número muito pequeno de espécies terrestres foram domesticadas, mas se iniciou a domesticação de espécies de água doce e salgada. O segundo grande ciclo de domesticação ocorreu no século xx e envolveu animais de água doce e salgada, como os camarões, o salmão, a truta e as ostras. Nos últimos cem anos, domesticamos 180 animais de água doce, 250 animais marinhos e dezenove plantas aquáticas (principalmente algas). Nesse segundo ciclo, o homem precisou de cerca de dez anos de pesquisa para escravizar uma nova espécie. Isso porque os conhecimentos de ecologia, biologia geral e genética facilitaram muito o entendimento do ciclo de vida e as necessidades desses seres vivos.

Hoje a maioria dos seres humanos não está envolvida na produção de alimentos e se alimenta com produtos derivados de seres vivos cultivados por uma pequena parte da população do planeta. É preocupante que somente um pequeno número de espécies seja a base de nossa alimentação, mas isso não é de estranhar, devido ao pequeno número de espécies que conseguimos domesticar. As 743 espécies domesticadas são nada se comparadas à bilionária biodiversidade do planeta. A boa notícia é que nos últimos anos quase dobramos o número de espécies domesticadas, o que deve permitir um aumento na diversidade de nossas fontes de alimentação. Servir como fonte de espécies domesticáveis é uma das funções da biodiversidade. Talvez por causa da culpa que sentimos por escravizar espécies, raramente essa é uma função lembrada.

Mais informações: "Rapid domestication of marine species". Science, *vol. 316, p. 382, 2007.*

3. Envelhecimento precoce torna o trigo mais nutritivo

Há 20 mil anos o homem deixou de se alimentar exclusivamente dos vegetais que encontrava na natureza e passou a consumir vegetais que ele mesmo plantava. Esse plantio caracterizou o início da agricultura e desde então mais de quatrocentas gerações de agricultores vêm selecionando e replantando as melhores sementes de cada safra, modificando aos poucos esses vegetais e melhorando sua produtividade. Esse longo trabalho, que nos últimos cem anos foi auxiliado pelo conhecimento da genética clássica e nos últimos 25 pela biotecnologia, resultou em variedades de vegetais dez vezes mais produtivas que as espécies originais. Agora, com o auxílio de técnicas de biologia molecular, os cientistas estão comparando os genes das variedades modernas de trigo e milho com os das variedades originais e aos poucos descobrindo os genes que foram selecionados por nossos antepassados e que produziram esse incrível aumento de produtividade.

Um deles foi descoberto recentemente no trigo, o vegetal que, sozinho, representa 20% de todas as calorias consumidas pela humanidade. Esse gene é capaz de aumentar em 30% a quantidade de proteína, zinco e ferro nos grãos. Para ter uma ideia de seu impacto, basta lembrar que neste início de século XXI morrem 20 mil crianças por dia por falta de proteínas e que 160 milhões delas têm deficiência de ferro e zinco.

Cientistas norte-americanos e israelenses localizaram o gene em um dos cromossomos de espécies primitivas de trigo e, a partir de sua posição, foram capazes de isolá-lo e estudar seu funcionamento. O gene codifica um fator de transcrição, uma proteína que atua como um interruptor mestre, ligando e desligando diversos genes. Para entender seu funcionamento, os cientistas criaram plantas transgênicas nas quais a atividade desse gene foi reduzida e as compararam com plantas em que o gene estava ativo. Quando ele é desativado, a planta de trigo retarda seu envelhecimento, demorando três semanas a mais para maturar. Esse retardo causa uma diminuição em 30% no acúmulo dos nutrientes nas sementes. Por outro lado, na presença do gene os nutrientes são transportados mais cedo das folhas para as sementes, o que provoca o aumento de sua quantidade na semente madura.

O inesperado é que algumas das variedades modernas de trigo, principalmente as utilizadas para fazer farinha de macarrão (*T. turgidium ssp. durum*), possuem uma versão inativa desse gene, o que abre a possibilidade de introduzi-lo novamente e talvez aumentar ainda mais sua produtividade. Essa descoberta também pode ser utilizada para aprimorar a produtividade de outras plantas. Um gene similar a esse já foi identificado no arroz e possivelmente também existe em um grande número de vegetais. A descoberta de um mecanismo controlador do valor nutricional das sementes, combinada com nossa capacidade de alterar geneticamente os vegetais, pode levar à criação de grãos mais nutritivos.

Foram as modernas técnicas da biotecnologia que permitiram aos cientistas descobrir o mecanismo de funcionamento desse gene selecionado ao longo de milênios por nossos antepassados.

É um caso de colaboração científica entre gerações de cientistas separados por milhares de anos de história.

Mais informações: "A NAC gene regulating senescence improves grain protein, zinc, and iron content in wheat". Science, *vol. 314, p. 1298, 2006.*

4. Como alimentar a humanidade no século XXI

Quando amanhece, uma única preocupação habita a "mente" dos seres vivos: obter alimento para sobreviver por mais um dia. Os insetos devoram as folhas, e os pássaros saem à procura de insetos. A exceção é o *Homo sapiens.* Nossa espécie aprendeu a produzir comida com tal eficiência que a cada ano diminui o número de pessoas dedicadas a essa tarefa. Desde que nos lançamos à agricultura, nossa população explodiu. A maioria de nós não participa da produção de alimentos e desconhece quão frágil é esse sistema. Basta um desequilíbrio, como ocorreu nos últimos anos, para a quantidade de alimentos diminuir, espalhando a fome. Nessa hora vale recordar os dilemas envolvidos na produção de alimentos.

Direta ou indiretamente quase tudo o que comemos se origina da agricultura. Podemos comer o milho ou a vaca que comeu o milho, mas a cada boca humana que habita este planeta corresponde um lote imaginário de terra cultivada. É lá que cresce a sua alface, é lá que pasta a vaca que produz o leite que você bebe. Tente imaginar o lote que produz suas refeições ao longo de um dia. Agora imagine um lote como esse para cada habitante do planeta. Entre 1900 e 1950, a população humana cresceu a uma taxa correspondente a 10 milhões de pessoas por ano. Entre 1990 e o ano 2000, essa taxa subiu para 100 milhões de novas bocas por ano. Hoje somos 6 bilhões de pessoas e, embora a população cresça mais lentamente, mesmo assim a cada ano, nos próximos 25 anos, será preciso aumentar a produção de alimentos para saciar 90 milhões de novas bocas. Some a esse desafio a tarefa de acabar com os 500 milhões de famintos e você terá a real dimensão do problema.

Para alimentar esse número crescente de pessoas, só existem duas possibilidades. A primeira, aumentar a área do planeta dedicada à agricultura, criando um novo lote imaginário para cada ser humano que nasce. É fácil fazer as contas e descobrir que será preciso dobrar a área plantada. A segunda possibilidade é diminuir o tamanho do lote necessário para alimentar cada pessoa. Isso seria possível aumentando a quantidade de alimentos produzidos em cada metro quadrado ou eliminando de nossa dieta alimentos que exijam áreas maiores.

A solução adotada pela humanidade entre 1950 e 2000 foi aumentar a produtividade. Nesse período, a produção de alimentos multiplicou-se por três, enquanto a área plantada aumentou 30%. A razão foi a introdução de novas tecnologias, como o adubo químico, os pesticidas e novas variedades de vegetais. A combinação dessas tecnologias recebeu o nome de Revolução Verde e valeu o Prêmio Nobel da Paz para o cientista americano Norman Borlaug. No México, entre 1950 e 1990, a produção de trigo saltou de 0,6 para 4,5 toneladas por hectare. Imagine o que teria acontecido com as florestas se a produção de alimentos tivesse se expandido sem a introdução de novas tecnologias, somente aumentando a área plantada.

O desafio para as próximas décadas é semelhante, mas agora

a agricultura enfrenta resistências que não existiam no passado. Parte da população dos países desenvolvidos (muito bem alimentada) é ferozmente contra o aumento da área ocupada pela produção de alimentos e a consequente destruição dos ecossistemas. Ao mesmo tempo, existe uma reação contra a introdução de novas tecnologias e um desejo de voltar a métodos menos intensivos de produção. O que as pessoas têm dificuldade de entender é que essas propostas são incompatíveis com o aumento da quantidade de alimentos. A realidade é que só existem três saídas: aumentar a área agrícola, aumentar a produtividade ou torcer para que uma guerra ou epidemia diminuam a população do planeta. De uma maneira ou de outra, teremos que fazer nossa escolha.

Mais informações: Produção de alimentos no século XXI, *de Gordon Conway, Ed. Estação Liberdade, São Paulo, 2003.*

5. Usando e abusando dos seres vivos

Você para em uma lanchonete e pede um cachorro-quente. No pão, o trigo veio de uma semente, o ketchup é tomate e a mostarda, uma semente. A salsicha é carne de mamífero e o papel que embrulha tudo é constituído da celulose de uma árvore. Utilizamos um número tão grande de produtos derivados de outros seres vivos que já não poderíamos viver sem eles.

Até recentemente, nossa relação com esses produtos era passiva. Coletávamos, processávamos, criávamos ou plantávamos seres vivos existentes na natureza de modo a consumir os materiais produzidos por eles. No início do século XXI, surgiu outra forma de utilizar os seres vivos e essa relação se tornou ativa: passamos a modificar os seres vivos de modo a induzi-los a produzir o que necessitamos. Hoje somos capazes de transformá-los em minúsculas fábricas de produtos químicos. Os fungos, por exemplo, produzem enzimas para nossos detergentes, e as bactérias nos fornecem hormônios ou vacinas.

A indústria química, que produz tecidos sintéticos e plásticos, foi construída sobre dois pilares. O primeiro é a química, uma série de conhecimentos que possibilitam o encadeamento de reações capazes de transformar uma molécula em outra. Como uma criança que monta uma boneca encaixando a cabeça e os braços no corpo, os químicos montam novas moléculas adicionando átomos e grupos químicos a uma molécula básica. O segundo pilar são os esqueletos de carbono. Essas pequenas moléculas derivadas do petróleo são utilizadas, à semelhança de peças Lego, para construir moléculas mais complexas ou montar polímeros e plásticos.

Agora entra em cena a biotecnologia industrial. Enquanto na indústria química cada passo da produção se resume a uma reação química que transcorre em grandes reatores, na biotecnologia industrial o que se faz é construir um organismo vivo capaz de realizar em seu interior cada um dos passos executados na antiga fábrica. Para isso se introduzem no genoma desses micro-organismos genes capazes de fabricar as enzimas necessárias para produzir cada reação, desse modo "instruindo" o ser vivo a executar os passos antes processados na fábrica. Construído o ser vivo, basta deixá-lo crescer que ele se encarrega de fazer tudo o que era feito na fábrica. Em vez de uma grande fábrica, agora temos enormes frascos contendo bilhões de bactérias — minúsculas fábricas.

Apesar de essa tecnologia estar na infância, já existe no mercado tecidos e plásticos produzidos por micro-organismos. Há milênios o homem sabe que existem na natureza bactérias e fungos com rotas metabólicas capazes de transformar açúcar em álcool, e foram sempre essas rotas naturais que utilizamos para a produção de bebidas alcoólicas. Mas foi só no século XX que o homem aprendeu a manipular os seres vivos, e agora, em vez de depender somente de rotas metabólicas preexistentes, nos tornamos capazes de construir seres vivos com as rotas que nos interessam.

Primeiro construímos fábricas; agora estamos colocando cada uma delas dentro de um ser vivo. É o suprassumo da exploração do pequeno animal-bactéria pelo grande animal-homem.

6. O inimigo do meu inimigo é meu amigo

Insetos adoram comer plantas, e foi por isso que o homem precisou desenvolver os inseticidas. Agora surgiu uma nova tecnologia para combater insetos: plantas transgênicas capazes de terceirizar o combate aos inimigos. Quando atacadas pelos insetos, elas secretam aromas que atraem insetos carnívoros, que adoram devorar insetos vegetarianos.

Desde que se lançou à agricultura, o homem disputa com os insetos o direito de consumir os vegetais que cultiva. Nessa disputa de 20 mil anos, nosso arsenal foi evoluindo ao longo do tempo. Primeiro foram os métodos físicos, que vão desde espremer os insetos um a um com os dedos até a prática, ainda corrente em muitos locais da África, de fazer barulho para as nuvens de gafanhotos não pousarem na lavoura. Depois veio a época dos inseticidas, tanto os obtidos na natureza — como as toxinas do *Bacillus thurigiensis* — quanto os químicos. Essa fase começou em fins do século XIX e permanece até hoje.

Nas últimas décadas, com o desenvolvimento da biologia molecular, foi possível criar plantas transgênicas contendo os genes das toxinas que antes espalhávamos sobre as plantações. É o caso do algodão e do milho Bt, que produzem em suas folhas e caules a toxina do *Bacillus thurigiensis*. Com essa tecnologia, somente os insetos que abocanham nossa preciosa comida são exterminados. Nessa corrida armamentista, os insetos também desenvolveram suas armas, que consistem principalmente em mutações que os tornam resistentes aos inseticidas. Agora os cientistas demonstraram um novo tipo de arma, que é convencer os inimigos naturais dos insetos a se alinharem a nós. Uma espécie de aliança bélico-ecológica.

Faz tempo que se sabe que muitas plantas, como os morangos, sintetizam moléculas voláteis da família dos terpenoides capazes de atrair os predadores naturais dos insetos que se alimentam de suas folhas. Quando um pé de morango é abocanhado por um inseto, o rompimento da "pele" da planta libera esses terpenoides na atmosfera. A molécula é detectada por insetos carnívoros, que, atraídos pelo cheiro, se dirigem ao pé de morango e devoram os insetos que estavam comendo os frutos.

O que os cientistas fizeram foi transplantar os genes responsáveis pela síntese dos terpenoides de um pé de morango para uma planta da família da mostarda, chamada *Arabidopsis*, que passou a sintetizar o terpenoide. As plantas transgênicas foram capazes de atrair os insetos carnívoros e, dessa maneira, se proteger dos insetos que as atacavam.

Esse experimento foi feito somente na *Arabidopsis*, mas nada impede que num futuro próximo o truque seja usado em culturas importantes, como a do algodão, cana ou laranja. Quando isso ocorrer, veremos agricultores "cultivando" colônias de insetos carnívoros cuja única função será esperar que o cheiro dos terpenoides ponha em marcha um exército de insetos capazes de exterminar os insetos que destroem nossas plantações.

A nova arma é o resultado de uma combinação de biotecnologia com prática do controle natural das pragas. Pode-se dizer que o homem criou uma aliança estratégica com o inimigo de nossos inimigos.

Mais informações: "Genetic engineering of terpenoid metabolism attracts bodyguards to Arabidopsis". Science, *vol. 309, p. 2070, 2005.*

7. Quatro refeições

Imagine quatro refeições: uma industrializada, hambúrguer e refrigerante; outra preparada com produtos "orgânicos" adquiridos em supermercados; uma terceira, feita com itens produzidos em uma fazenda que pratica de maneira radical a agricultura sustentável; e por fim uma refeição preparada com ingredientes coletados diretamente nos ecossistemas naturais, carne de caça e cogumelos silvestres. Durante cinco anos, o ensaísta americano Michael Pollan acompanhou as atividades envolvidas na produção e obtenção dos ingredientes de cada uma dessas refeições. O resultado é contado em um livro em que as virtudes, os problemas e as implicações éticas de cada um desses modos de se alimentar são discutidos em detalhe.

O hambúrguer e o refrigerante se originam das plantações intensivas de milho do Meio-Oeste americano, de fazendas de grande produtividade, fábricas de alta tecnologia que utilizam uma grande quantidade de insumos químicos e que são, provavelmente, os locais onde se produzem mais calorias por metro quadrado no planeta. Se por um lado elas são eficientes, falar em biodiversidade em um ambiente onde o fazendeiro tem que ir ao supermercado para comprar um pé de alface é piada. Pollan segue o milho das fazendas até as processadoras onde são produzidos a ração animal e o açúcar que vai adoçar os refrigerantes. A ração acaba no cocho de enormes centros de engorda de bovinos ou em fazendas intensivas de criação de frangos, onde animais são tratados com máquinas capazes de transformar milho em carne. O resultado é uma alimentação pouco saudável, barata e com elevados custos ambientais, mas capaz de alimentar um grande número de seres humanos. Depois dessa leitura, fica difícil apreciar um bom hambúrguer.

Em seguida vem a refeição "orgânica" com ingredientes produzidos em larga escala. Aqui Pollan descreve as modificações necessárias para transformar as pequenas propriedades "orgânicas" na enorme indústria de alimentos naturais que vem crescendo continuamente nos Estados Unidos. É impressionante quão diferente é a produção desses alimentos do que imaginamos quando adquirimos os produtos no supermercado. A descrição das fazendas de produção de frangos "orgânicos" é quase tão educativa quanto o cálculo da quantidade de petróleo queimado e gás carbônico emitido para garantir que um consumidor "consciente" em Nova York possa comer aspargos "orgânicos" frescos produzidos na Argentina.

O capítulo sobre o trabalho em uma fazenda radicalmente "correta" é o mais interessante, pois demonstra como o método de produção pode ser integrado, desde a manutenção de pastagens diversificadas até a preservação da fertilidade do solo, passando pela produção de frangos, porcos e gado de maneira integrada. Fica claro como é possível tratar eticamente os animais envolvidos e por fim produzir refeições que não impactem negativamente o meio ambiente. O problema são o custo final dos alimentos, bem mais alto, e a impossibilidade de aumentar a escala de produção para atender a grandes cidades e à enorme população do planeta.

O último capítulo nos leva de volta ao nosso modo de vida pré-agricultura, como caçadores e coletores de alimento. O esforço necessário para preparar uma refeição é enorme, mas recompensado por uma total integração entre o consumidor do alimento e a vida desses alimentos.

Mais informações: The omnivorous dilemma. A natural history in four meals, *de Michael Pollan, Penguin Books, Nova York, 2007.*

8. Vale a pena comer um tomate?

Vale a pena comer um tomate? Até o final do século XX a resposta dependia de seu conteúdo calórico e do esforço necessário para obter o alimento. No século XXI, essa equação já não é tão simples.

Imagine um homem primitivo que se alimenta do que encontra na natureza. Nesse caso a conta é simples: se a energia contida em um tomate é superior à energia gasta para obtê-lo, vale a pena comer o tomate. Se um tomate fornece vinte quilocalorias de energia e gastamos cinco quilocalorias para encontrar o pé de tomate, o resultado é que após o esforço "lucramos" quinze quilocalorias. Imagine agora que o pé de tomate esteja no alto de uma montanha. Após gastar duzentas quilocalorias para escalar a montanha, podemos saborear o tomate de vinte quilocalorias. O resultado é que vamos ficar com mais fome do que antes de iniciarmos a empreitada: um déficit de 180 quilocalorias. É claro que nunca os homens primitivos nem os animais pararam para fazer essa conta, mas, se a estratégia de alimentação de um animal não seguir esse modelo, ele simplesmente morre.

Imagine agora o processo decisório de um consumidor de tomates no século XX. Ele vai ao supermercado e descobre que o fruto de vinte quilocalorias custa o equivalente ao salário de um dia de trabalho. Se ele gastar o salário com tomates, vai morrer de fome, pois seu poder aquisitivo não é suficiente para comprar os tomates necessários para mantê-lo vivo por um mês. Por outro lado, se o tomate custar o equivalente a um minuto de trabalho, vale a pena comer o tomate. Na verdade, o cálculo de custo/benefício é basicamente o mesmo utilizado pelo homem primitivo. O salário não passa de uma maneira de quantificar o esforço necessário para obter o alimento.

Agora estamos no século XXI e nosso consumidor de tomates se preocupa com o meio ambiente. Ele sabe que os tomates que vai comprar no supermercado, apesar de ainda conterem as mesmas vinte quilocalorias e custarem o equivalente a um minuto de trabalho, foram produzidos em uma fazenda distante do supermercado. No cultivo do fruto foram utilizados combustíveis fósseis tanto para produzir os fertilizantes e arar a terra quanto para colher e transportar o tomate até a cidade. Isso sem contar o plástico, o papel da embalagem e a refrigeração. Os gastos de energia relacionados com a produção do tomate podem ser calculados, e assim é possível determinar o impacto da produção do tomate na liberação de CO_2 na atmosfera e sua contribuição para o aquecimento global. Será que ainda vale a pena obter vinte quilocalorias de um tomate, se foram utilizadas quase trezentas quilocalorias em combustíveis fósseis para produzi-lo?

Ecólogos como o americano David Pimentel, da Universidade Cornell, nos Estados Unidos, têm se dedicado a esses cálculos. A fim de produzir o alimento necessário para alimentar por um dia um americano médio, são utilizados 5,3 litros de petróleo, quase a mesma quantidade consumida pelo carro desse mesmo americano. Pimentel calcula que 17% do petróleo que se consome nos Estados Unidos é utilizado na produção de alimentos. Para produzir cada quilocaloria de proteína animal, utilizam-se quarenta quilocalorias oriundas de combustíveis fósseis. O que David Pimentel vem tentando demonstrar é que hoje, nos Estados Unidos, comer polui tanto quanto dirigir automóveis. E agora? Vale a pena comer um tomate? E quando acabar o petróleo, de onde virão os tomates?

Mais informações: "Sustainability of meat-based and plant-based diets and the environment". Am. J. Clin. Nutr., *vol. 78, p. 660S, 2003.*

9. A volta dos alimentos contaminados

Quem adquire alimentos em supermercado geralmente tem pouca vivência dos ambientes nos quais esses alimentos são produzidos, desconhecendo que o solo contém uma infinidade de vírus, bactérias e fungos nocivos à saúde humana. Os principais vilões são as toxinas produzidas por bactérias e fungos, em especial a ergotamina, produzida pelo *Claviceps purpurea*, a fumosina, pelo *Fusarium*, e as toxinas, produzidas por algumas formas de *E. coli*.

Fungos e bactérias contaminam os grãos e as verduras e acabam por se reproduzir se as condições de colheita, armazenamento e processamento não são cuidadosamente controladas. Se isso acontecer, o resultado é que as toxinas vão para os alimentos. Além de, mesmo em doses minúsculas, poderem matar, elas contribuem para o surgimento do câncer de esôfago. A fumosina tem a peculiaridade de inibir a absorção de ácido fólico, o que pode causar malformação de fetos.

O ataque por insetos infectados é uma das maneiras como os grãos se contaminam. Durante todo o século XX, com a utilização de fungicidas e inseticidas e a introdução de plantas transgênicas resistentes a insetos, as contaminações em larga escala se tornaram raras. No caso das bactérias, o uso de adubos químicos, em vez de adubos feitos com fezes de animais ou restos de plantas, reduziu o número de envenenamentos.

Recentemente, no entanto, esse quadro se modificou com a introdução dos alimentos "orgânicos". Em 2006, nos Estados Unidos, centenas de pessoas foram envenenadas pela bactéria *E. coli* O157:H7 em lotes de espinafre fresco. Uma morte, cinquenta casos de falência renal e centenas de hospitalizações foram causados por um produtor orgânico descuidado. Na Inglaterra, o governo testou alimentos orgânicos e industriais para verificar a presença de fumosina. O resultado: todas as amostras de produtos orgânicos apresentavam níveis inaceitáveis de fumosina e eles foram retirados das prateleiras.

Portanto, a decisão dos consumidores de dar preferência a formas primitivas de produção de alimentos implica um aumento no risco de envenenamentos. Isso não significa que seja impossível produzir alimentos orgânicos de maneira segura, mas somente que sua produção precisa ser mais cuidadosa e que o consumidor deve ser alertado também dos riscos que esses alimentos envolvem, e não só de seus benefícios.

A consequência mais interessante desses episódios são os desdobramentos legais. Em diversos países, o produtor de bens de consumo tem o dever de utilizar a tecnologia mais segura em seus produtos. Caso não o faça, acidentes deixam de ser considerados como tais e passam a ser classificados como descuidos, resultando em multas consideráveis e condenações. Muitos advogados de vítimas de envenenamento por alimentos estão movendo esse tipo de ação contra indústrias de orgânicos e até mesmo de alimentos industriais que deixaram de utilizar tecnologias mais seguras para atender seus consumidores.

O divertido é que esse risco legal está levando muitas indústrias a começarem a se questionar se não seria arriscado demais excluir transgênicos de receitas ou garantir que elas só usam produtos "orgânicos".

Mais informações: "Why spurning food biotech has become a liability". Nature Biotechnology, *vol. 24, p. 1075, 2006.*

10. A contaminação do espinafre

Em 2006, a contaminação de pacotes de espinafre fresco com uma bactéria altamente tóxica provocou diversas hospitalizações. O relatório final da investigação confirma que alimentos produzidos com métodos "orgânicos" e distribuídos nacionalmente representam um novo tipo de risco alimentar.

Tudo começou em 22 de julho de 2006, quando a Mission Organics plantou um campo de 11 200 metros quadrados com espinafre em uma fazenda na Califórnia que estava em vias de receber sua certificação como "orgânica". Essa plantação foi contaminada com fezes de animais da região que continham a bactéria *E. coli* O157:H7, comum no intestino de diversos animais. Em 14 de agosto, 450 quilos de espinafre foram colhidos e processados pela Natural Selection Foods. O lote recebeu o número P227A. O espinafre foi lavado diversas vezes, empacotado em cerca de 40 mil embalagens individuais e distribuído nacionalmente com a marca Dole Baby Spinach.

No dia 31 de agosto, Ruby Trauz, uma senhora de 81 anos, morreu no estado de Nebraska após sofrer uma forte diarreia que evoluiu para uma hemorragia gástrica e falência renal. Casos semelhantes começaram a surgir em mais de 26 dos cinquenta estados americanos. Um total de 205 pessoas foram internadas nos dias seguintes com os mesmos sintomas. Como os casos pipocaram em diferentes regiões do país, demorou duas semanas para o governo estabelecer uma relação entre eles. Em 15 de setembro, o governo americano recomendou que nenhum tipo de espinafre fresco fosse consumido. No dia 20 de setembro, uma criança de dois anos morreu em Idaho e muitas pessoas continuavam sendo hospitalizadas com falência renal. Betty Howard foi a última vítima do espinafre a morrer, em 28 de janeiro de 2007, depois de quatro meses hospitalizada. O espinafre contaminado, produzido em uma área do tamanho de um quarteirão, deixou quatro mortos e dezenas de pessoas com sequelas da doença renal espalhadas pelo país.

O Food and Drugs Administration foi obrigado a rever os regulamentos que determinam de que forma alimentos "orgânicos" devem ser produzidos. Como eles são produzidos com técnicas tradicionais, em que não entram inseticidas, herbicidas ou adubos químicos, sua produção era pouco fiscalizada ou regulamentada. Entretanto, com o crescimento brutal desse mercado e com a chegada de grandes grupos capazes de distribuir a produção de uma pequena fazenda por todo o território dos Estados Unidos, um pequeno erro local pode causar acidentes de grandes proporções.

Mesmo nos Estados Unidos, um dos países onde a segurança alimentar é alta em virtude da intensa fiscalização dos métodos de produção de alimentos, ainda ocorrem entre 300 mil e 400 mil hospitalizações por contaminação alimentar todos os anos. Desse total, 5 mil terminam com a morte do paciente, o que significa uma taxa anual de mortalidade de 1,7 pessoa por 100 mil habitantes, um índice muito próximo ao número de pessoas que morrem assassinadas (5,5 pessoas por 100 mil habitantes).

Esse episódio mostra que, apesar de os consumidores se preocuparem com a segurança de tecnologias novas, como inseticidas e transgênicos, não é possível imaginar que somente porque na embalagem de um produto se vê a imagem bucólica de uma fazenda ou a palavra "orgânico" escrita ali ele seja mais seguro do ponto de vista alimentar.

Mais informações: "Investigation of an Escherichia coli *O157:H7 Outbreak Associated with Dole Pre-Packaged Spinach". State of California-Health and Human Services Agency, Department of Public Health, 2007.*

11. Uma vaca que não fica louca

A doença da vaca louca (encefalopatia espongiforme bovina) matou mais de 180 mil vacas nas últimas décadas do século XX e forçou o sacrifício de parte do rebanho bovino da Inglaterra. Os quase 400 mil animais infectados que entraram na dieta dos ingleses são os prováveis responsáveis pela morte das 150 pessoas que desde 1980 contraíram a forma humana da doença. Em 2003, o aparecimento de uma única vaca com a doença nos Estados Unidos levou diversos países a proibirem a importação de carne norte-americana. Agora cientistas dos EUA criaram vacas geneticamente modificadas nas quais é impossível a doença se desenvolver.

A doença da vaca louca é infecciosa, mas não é transmitida por vírus ou bactéria. Na verdade não é transmitida por um ser vivo, e sim por uma proteína chamada "príon" (PrP). Ela é codificada por um gene que existe tanto nos bovinos como nos seres humanos, e está presente no cérebro de todos nós. A doença ocorre quando algumas das moléculas de PrP se enovelam de maneira errada (proteínas têm a forma de fios longos que se enrolam de forma espontânea). As proteínas mal enoveladas induzem outras cópias da PrP a também se enovelarem de maneira errada, provocando uma reação em cadeia. À medida que esse fenômeno se espalha, ele provoca a degeneração do cérebro e a loucura nas vacas. A doença se alastra quando um animal ingere a proteína mal enovelada, que então deflagra a reação em cadeia e o aparecimento da doença. Na Inglaterra a doença se espalhou entre os bovinos porque era costume adicionar restos de animais (osso moído e cérebro) à ração. No Brasil, como a maioria do rebanho só come pasto, a doença ainda não apareceu. Quando uma pessoa come carne de uma vaca infectada, ocorre um fenômeno semelhante. O neurologista americano Stanley Prusiner recebeu o Prêmio Nobel de Medicina em 1997 por ter descoberto o mecanismo de funcionamento dos príons.

É fácil entender por que um animal que não produz a proteína PrP é incapaz de contrair a doença. Mesmo se ingerir um pouco de PrP mal enovelada, a reação em cadeia não ocorre, por falta de PrP. Mas se retirarmos do genoma de um animal o gene que codifica a PrP, o animal ainda sobrevive e pode ser considerado normal? Um grupo de cientistas resolveu "fabricar" vacas sem o gene da PrP para testar essa ideia. Primeiro isolaram células-tronco de vacas holandesas e inseriram nelas um fragmento de DNA bem no meio do gene PrP, destruindo sua capacidade de produzir a proteína PrP. Depois utilizaram essas células para criar embriões, que foram implantados em vacas. No final, obtiveram doze bezerros, que foram estudados por quase dois anos.

Como esperado, eles não têm PrP no corpo. Além disso, todos os exames realizados indicam que os bezerros são absolutamente normais, apesar de não possuírem a proteína PrP. Alguns dos animais geneticamente modificados foram sacrificados e, analisando extratos de seus cérebros, ficou comprovado que a reação em cadeia de enovelamento das PrPs não ocorre. Isso demonstra que essas vacas são incapazes de desenvolver a doença e, portanto, de transmiti-la a humanos.

É possível que no futuro toda carne bovina que consumirmos seja produzida por essas vacas transgênicas, as primeiras incapazes de ficar loucas.

Mais informações: "Production of cattle lacking prion protein". Nature Biotechnology, *vol. 25, p. 132, 2007.*

12. Os poderes do azeite extravirgem

Apesar de adorarmos associar o consumo de certos alimentos a seus efeitos sobre a saúde, a grande maioria das afirmações do tipo "comer alface evita o aparecimento de joanetes" não tem nenhum embasamento científico. Mas existem exceções. Muitos alimentos realmente têm moléculas capazes de influenciar nossa saúde. A descoberta de uma molécula com atividade anti-inflamatória no azeite de oliva é uma boa notícia para os apreciadores da culinária mediterrânea.

Tudo começou em meados do século XX, quando se tentava descobrir uma molécula capaz de substituir a aspirina. Porquinhos-da-índia que recebiam uma dose oral de aspirina ficavam muito menos vermelhos (um sinal de inflamação) depois de permaneceram trinta minutos debaixo de uma lâmpada ultravioleta. Aplicando testes desse tipo, milhares de moléculas foram analisadas ao longo de décadas. Depois de errar na liberação de um composto chamado ibuphenac, que foi retirado às pressas do mercado por ser tóxico para o fígado, os cientistas finalmente descobriram o ibuprofeno, que vem sendo comercializado desde 1969 com diversos nomes. Ele é quase vinte vezes mais ativo que a aspirina — e suas propriedades terapêuticas se devem à capacidade de inibir as ciclo-oxigenases (COX para os íntimos), enzimas que têm um papel importante na inflamação.

Recentemente, alguns cientistas observaram que o óleo de oliva extravirgem tinha a capacidade de irritar a garganta de uma maneira similar à observada quando se ingere inibidores de COX. Inspirados por essa dica, eles analisaram os componentes do azeite e descobriram ali uma nova molécula responsável por essa queimadura na garganta. O novo composto foi batizado com o nome de oleocantal e qual não foi a surpresa quando, ao testar se o oleocantal era capaz de inibir as COX, os cientistas descobriram que esse composto tem efeito semelhante ao do ibuprofeno.

O curioso é que, apesar de ser capaz de inibir as COX, o oleocantal possui uma estrutura química muito diferente da do ibuprofeno, o que deve permitir a síntese de novas famílias de inibidores de COX.

O efeito do oleocantal sobre processos inflamatórios e sobre dores em geral ainda precisa ser mais bem estudado, mas não há dúvida de que quando consumimos cinquenta gramas de azeite de oliva extravirgem (algumas colheres de sopa) estamos ingerindo 200 μg (200 milionésimos de grama) de um potente inibidor das COX. Isso equivale a 10% do que existe em um comprimido de ibuprofeno.

Apesar de ser pouco provável que temperar a salada com azeite de oliva possa melhorar a artrite ou aliviar uma dor de cabeça, lembre-se de que já foi comprovado que baixas doses de inibidores de COX, como a aspirina, tomadas diariamente podem ter um efeito benéfico sobre o sistema cardiovascular.

Esse estudo mostra que algumas superstições que rondam os efeitos terapêuticos de certos alimentos podem ser investigadas de forma científica. E, se você adora um bom azeite, agora tem mais uma razão para exagerar no tempero da salada. Só não recomendo o bacalhau ao forno com azeite de oliva porque não se sabe se o oleocantal é degradado a altas temperaturas.

Mais informações: "Ibuprofen-like activity in extra-virgin olive oil". Nature*, vol. 437, p. 45, 2005.*

13. O cérebro e a arte da culinária

Há anos uma fábrica de biscoitos brasileira propôs o seguinte dilema: meus biscoitos vendem mais porque são fresquinhos ou são fresquinhos porque vendem mais? Pois bem, recentemente alguns arqueólogos têm se confrontado com uma questão semelhante: o homem cozinha seus alimentos porque é inteligente ou é inteligente porque cozinha seus alimentos?

Uma das características que distinguem o homem dos outros animais é sua capacidade de cozinhar; outra, ainda, é seu cérebro, enorme. Um cérebro avantajado consome muita energia. O cérebro de um bebê recém-nascido gasta 60% de toda a energia consumida pelo corpo. Em um homem adulto chega a consumir 25% de todas as calorias que ingerimos. Enquanto isso, um macaco usa somente 8% da energia para fazer seu cérebro funcionar.

No homem moderno é fácil entender que, apesar de energeticamente "caro", um cérebro sofisticado "se paga". Ele permitiu que desenvolvêssemos a agricultura e com ela a produção de alimentos em grande escala. Essa abundância de alimentos nos libertou da tediosa atividade de passar a maior parte do dia procurando, ingerindo e mastigando alimentos. Muitos argumentam que esse tempo economizado foi utilizado para pintar o teto da Capela Cistina, escrever livros e, claro, também para inventar armas e destruir o meio ambiente.

O problema que vem sendo debatido entre os cientistas é como o homem obteve energia suficiente para sustentar seu crescimento cerebral. O cérebro de nossos ancestrais australopitecos, que viveram há 4 milhões de anos, era um terço do nosso. Ao longo de 2 milhões de anos, eles deram origem ao *Homo erectus*, com um cérebro duas vezes maior. As dimensões do cérebro continuaram a crescer, até ele atingir o tamanho atual aproximadamente há 500 mil anos. A teoria dominante propunha que nossos ancestrais teriam trocado o intestino pelo cérebro: no decorrer desses milhões de anos, o homem teria substituído uma dieta pobre por uma rica em energia, trocando parte dos vegetais que consumia por carne. À medida que seu cérebro crescia ele se tornou um caçador mais eficiente. Essa dieta rica permitiu o "luxo" de sustentar um cérebro cada vez mais ávido por energia.

Mas agora surgiu uma nova teoria que afirma que a capacidade de cozinhar alimentos é que forneceu a energia que sustenta nosso cérebro. Se compararmos ratos alimentados com carne cozida com ratos alimentados com carne crua, os primeiros ganham 29% a mais de peso que os segundos. A razão é que, ao gastarem menos energia para mastigar e digerir o alimento, ratos alimentados com carne cozida engordam mais rápido. Segundo essa teoria, o fato de nossos ancestrais terem descoberto a culinária permitiu que eles aproveitassem uma fração maior da energia presente nos alimentos, e essa "sobra" de energia teria viabilizado o crescimento do cérebro.

O ponto fraco dessa teoria é que a maior parte dos pesquisadores acredita que nossos antepassados só dominaram o fogo muito tempo depois de o cérebro ter aumentado de tamanho. Mas como é muito difícil encontrar vestígios de fogo nos sítios arqueológicos de mais de 2 milhões de anos, a época exata em que o fenômeno foi dominado é outra discussão. De qualquer modo, é gostoso pensar que foi a deliciosa arte culinária que permitiu desenvolvermos nosso enorme cérebro. É como se os biscoitos fossem fresquinhos porque ficaram pouco tempo na prateleira.

Mais informações: "Food for thought". Science, *vol. 316, p. 1558, 2007.*

X. TECNOLOGIA

1. Sem braço, mas com a mão no peito

Darth Vader, o vilão de *Guerra nas estrelas*, recebeu um braço artificial depois de ter o seu amputado. O braço, comandado pelo cérebro, era invencível nas lutas com o sabre de luz. Fora do cinema, especialistas em robótica têm desenvolvido braços mecânicos cada vez mais sofisticados. Atualmente o desafio é conseguir que o cérebro comande um braço mecânico. Para isso é necessário criar uma interface de comunicação entre o sistema nervoso do paciente e o mecanismo robótico do braço. Há pouco tempo, um grupo de cientistas de Chicago deu um passo importante para a construção dessa interface.

Nossos braços são controlados por sinais que trafegam em dois tipos de nervos. O primeiro, chamado motor, ativa cada músculo, fazendo com que os braços e os dedos se movam. O segundo, chamado sensorial, leva para o cérebro a informação dos sensores presentes na superfície dos dedos. É esse sistema que informa o cérebro se um objeto é duro, mole, quente ou frio. Quando decidimos pegar um copo, nosso cérebro comanda os músculos por meio dos nervos motores e o braço se move em direção ao copo.

Esse movimento é controlado pelas informações que o cérebro recebe do sistema visual (tente pegar um copo de olhos fechados). Quando os dedos tocam o copo, os sensores de temperatura e tato informam ao cérebro que o copo foi contatado, o que permite ao cérebro diminuir a força dos dedos, de modo a não quebrar o copo ou até fazer com que a mão seja retirada se o objeto estiver quente. Para um braço mecânico funcionar, é necessário que a informação motora chegue a ele e a informação sensorial volte ao cérebro. Os braços mecânicos modernos já captam os sinais dos nervos motores, mas ligar os sensores dos dedos mecânicos ao cérebro ainda é um problema. Foi esse obstáculo que parece ter sido superado pelos cientistas de Chicago por meio de uma cirurgia experimental.

O paciente B. S. D. perdeu o braço. Depois da cicatrização do coto, ele foi operado. Os médicos redirecionaram o que havia restado dos nervos sensoriais do coto do braço para debaixo da pele da região do peito de B. S. D. Após cinco meses, quando os nervos sensoriais haviam se ligado à pele do peito, os cientistas observaram que, ao encostarem um lápis no peito de B. S. D., ele sentia que haviam tocado no polegar da mão que não existia. Se o lápis era encostado em outra região do peito, ele sentia a palma da mão amputada ou mesmo o dedo mindinho. Isso indicava que os terminais da pele do peito haviam substituído os terminais da mão, enviando sinais ao cérebro, mas que o cérebro de B. S. D. ainda identificava os sinais como provenientes da mão amputada.

A ideia agora é colocar sensores na ponta dos dedos mecânicos do braço artificial de B. S. D. e conectá-los ao peito. Quando a mão mecânica de B. S. D. tocar um copo, o sensor enviará um sinal que estimulará a pele do peito e esta, por sua vez, enviará o sinal ao cérebro. Assim, quando o braço mecânico encostar no copo, B. S. D. "sentirá" seu dedo tocando o copo. Seu cérebro vai "sentir" a pressão ou a temperatura do objeto tocado por sua mão mecânica. Sem dúvida um progresso na direção de construir um braço tão perfeito quanto o de Darth Vader.

Mais informações: "Redirection of cutaneous sensation from the hand to the chest skin of human amputees with target reinervation". Proc. Natl. Acad. Sci. USA, *vol. 104, p. 20061, 2007.*

2. As pernas de Oscar Pistorius

Mesmo sem as duas pernas, Oscar Pistorius solicitou permissão para competir nas Olimpíadas de Pequim em 2008. A razão é simples. Após ter vencido os cem metros rasos nas paraolimpíadas de 2005 com tempos próximos aos recordes olímpicos mundiais (10,91 segundos, quando o recorde olímpico era de 9,85 segundos), Oscar competiu com atletas "normais" em Roma em julho de 2007 e obteve o segundo lugar nos quatrocentos metros rasos com a marca de 46,90 segundos; apenas 0,18 segundo atrás do primeiro colocado (http://www.youtube.com/watch?v=1so1zMgpg2w).

A IAAF (International Association of Athletics Federations), no entanto, negou a Pistorius o direito de competir nas Olimpíadas de Pequim porque concluiu que as pernas de Pistorius são "melhores" que as dos atletas "normais". Essa conclusão ressuscita uma questão muito discutida pelos naturalistas no século XIX, deslumbrados com a aparente perfeição dos seres vivos. Como são produzidos seres vivos, ou pernas, tão perfeitas? Para os criacionistas foi Deus, que, perfeito, criou os seres vivos a sua imagem e semelhança. Para os evolucionistas foi a evolução darwiniana, que teve milhões de anos para testar e selecionar os genes responsáveis pelo funcionamento de nossas pernas. Mas para o IAAF, parece que a perna mais que perfeita foi criada pela tecnologia humana, mais especificamente por uma empresa da Islândia chamada Ossur (http://www.ossur.com).

Oscar Pistorius nasceu sem as fíbulas, e suas pernas foram amputadas abaixo do joelho quando ele tinha onze meses. Apesar de ter praticado diversos esportes na infância, só começou a correr em 2004. Enquanto os atletas "normais" trocam seus calçados por sapatilhas, Pistorius troca suas pernas artificiais pelas famosas "Cheetahs", duas lâminas de fibra de carbono em forma de L, da largura de um pé. A flexibilidade das lâminas substitui o tendão de aquiles e os músculos da panturrilha. Ao corrermos, o tendão e os músculos funcionam como uma mola que se estende quando o pé toca o solo e, ao se encurtar ao final da passada, ajuda a nos impulsionar.

A decisão da IAAF se baseou em um estudo feito pelo cientista alemão Peter Brüggemann da Universidade de Colônia, na Alemanha. Após medir a energia gasta por Pistorius e outros corredores, Brüggemann concluiu que Pistorius necessita de 25% menos energia para percorrer a mesma distância. Isso se deve ao fato de suas pernas serem capazes de devolver ao corpo três vezes mais energia que as pernas de uma pessoa normal. Com base nesses resultados, a IAAF concluiu que a perna artificial confere a Pistorius uma vantagem sobre os demais atletas.

Mas então por que não possuímos todos pernas de fibra de carbono? A resposta vem dos darwinistas: como cada estrutura do corpo deriva obrigatoriamente de estruturas presentes em nossos ancestrais, e como nenhum ser vivo foi capaz de desenvolver uma rota metabólica para a síntese da fibra de carbono, é fácil explicar por que pernas de fibra não são encontradas nos seres vivos. Como o processo de seleção natural não é dirigido, ele não resulta obrigatoriamente na melhor estrutura. Já os modernos defensores do criacionismo dizem acreditar na evolução, mas postulam a existência de uma força inteligente que dirige a evolução em direção à perfeição. Se essa força existe e é inteligente, por que não "pensou" em utilizar fibra de carbono para construir nossas pernas?

3. O problema do cotovelo móvel

De tempos em tempos, um experimento simples levanta a ponta do véu que cobre a pilha dos fenômenos que ainda não compreendemos. Pela fresta observamos que o fato desinteressante e trivial talvez revele um segredo. É o caso da posição do cotovelo no tentáculo do polvo.

Se você ainda não conhece a função do cotovelo, tente colocar a mão na boca sem dobrar o cotovelo. Agora estenda o braço ao longo do corpo e dobre totalmente o cotovelo. A mão chega muito próxima da boca. Acreditávamos que a posição do cotovelo tivesse sido selecionada de modo a permitir o bom funcionamento do braço. Parecia não haver nada de especial na relação entre o comprimento do braço e o do antebraço. A tromba dos elefantes confirmava a crença de que possuímos o cotovelo simplesmente porque um membro com um osso rígido precisa se articular em algum ponto. Quando o elefante leva uma maçã à boca, ele a agarra com a ponta da tromba e a dobra, formando um semicírculo que aproxima a fruta da boca. Isso ocorre sem juntas ou cotovelo.

Tudo mudou quando os cientistas resolveram filmar um polvo levando comida à boca. Apesar de o tentáculo ser totalmente flexível e não possuir ossos internos, o polvo usa o membro da mesma maneira como usamos o braço. Em um movimento muito rápido, que dura menos de dois segundos, ele dobra o tentáculo, dividindo seu comprimento em três segmentos rígidos (braço, antebraço e mão), que se articulam em dois pontos (cotovelo e punho), levando comida à boca.

Nós e os elefantes só utilizamos a ponta dos membros para agarrar alimento, o que não ocorre com os polvos. Os tentáculos têm ventosas ao longo de todo o comprimento, o que permite ao molusco agarrar a comida com qualquer parte do órgão. Os cientistas filmaram como o polvo dobra o tentáculo quando a comida não é agarrada pela ponta, e sim por uma ventosa qualquer localizada ao longo do tentáculo. Nesse caso, o segmento do tentáculo que vai da posição em que a comida é agarrada até sua base (ombro) é sempre dividido em três partes, independentemente de seu comprimento.

O mais surpreendente é que a relação entre os comprimentos de cada uma das três partes é mantida constante. Por exemplo, se a comida é agarrada pela ponta do tentáculo e a distância entre ela e o "ombro" é 20, a "mão" mede 4, o "braço" mede 6 e o "antebraço" 10. Se a comida é agarrada até o "ombro", é metade; a "mão" passa a medir 2, o "braço" 3 e o "antebraço" 5. A conclusão é que as duas articulações podem se formar em qualquer parte do tentáculo, mas são sempre posicionadas de modo a manter uma relação constante entre o comprimento dos três segmentos.

A observação de que a mesma estratégia de dobrar o membro em três partes é utilizada em organismos com esqueletos rígidos e sem esqueletos sugere que talvez exista um motivo para essa geometria. É esse o fato que se vislumbra por baixo da ponta do véu. Ele pode ser trivial ou o prenúncio de descobertas importantes. É assim que a ciência progride.

Mais informações: "Motor control of flexible octopus arms". Nature*, vol. 433, p. 595, 2005.*

4. Gerando energia a cada passo

A cada passo nosso corpo sobe e desce alguns centímetros. Se você não acredita, basta observar o oscilar vertical de uma barriga saliente ou de seios com silicone. Um grupo de cientistas construiu um equipamento que captura a energia liberada por esse movimento gerando eletricidade.

Quando caminhamos, liberamos energia através de diversos movimentos. O balançar dos braços libera a energia que faz funcionar os relógios automáticos, "dando corda" naquelas maravilhas mecânicas. Tênis transformam a energia do impacto de cada passo na eletricidade que faz pequenas lâmpadas piscarem. Esses equipamentos são capazes de gerar no máximo 0,02 watt. O novo equipamento gera oito watts, quatrocentas vezes mais eletricidade, o suficiente para carregar baterias de celulares. Durante um passo, o movimento de levar o corpo sobre a perna que está mais à frente faz com que nosso tórax suba cinco centímetros. Em seguida, quando transferimos o peso para a outra perna, o tórax desce cinco centímetros. Nossos músculos gastam energia para levantar o corpo e para amortecer sua descida. Quanto maior o passo, maior o sobe e desce do corpo. Esse novo equipamento captura parte da energia desse sobe e desce e a transforma em eletricidade.

O equipamento parece uma mochila. Dentro dela um peso corre sobre dois trilhos colocados verticalmente ao longo das costas. Tal como uma barriga saliente, esse peso possui inércia e demora a responder às subidas e descidas do corpo. Quando nosso corpo desce, levando com ele os trilhos, o peso tende a permanecer no mesmo nível, subindo em relação aos trilhos. Quando o corpo é levantado, o peso desce em relação aos trilhos. Se você pudesse filmar uma pessoa usando o equipamento, veria que a parte da mochila que contém os trilhos e está fixa nas costas da pessoa sobe e desce com o andar, enquanto o peso se move muito pouco. Para capturar a energia, os cientistas colocaram uma engrenagem entre o peso e os trilhos e a ligaram a um pequeno gerador elétrico, que vira em uma direção quando a mochila sobe e na outra quando ela desce. O peso, na verdade, é a bateria, que vai sendo carregada pelo gerador. O resultado é que após uma boa caminhada a bateria está carregada.

Quando os cientistas compararam a energia gasta por uma pessoa andando com essa mochila-gerador com a energia gasta pela mesma pessoa usando uma mochila normal, observaram que com a mochila-gerador se gasta praticamente a mesma energia e ainda se termina a caminhada com uma bateria carregada. Isso significa que a inércia do peso tem um efeito compensatório que facilita o andar. A existência de efeitos compensatórios que melhoram o equilíbrio do andar é bem conhecida. É o caso do balançar dos braços, que compensa o movimento das pernas, da oscilação lateral das corcovas dos camelos ou mesmo do rebolado dos quadris femininos.

A possibilidade de aproveitarmos melhor nossa energia metabólica, transformando parte do feijão que comemos em eletricidade, ainda está na infância. Talvez algum dia a energia produzida pelo gingado e rebolado dos passistas de uma escola de samba seja suficiente para iluminar a Sapucaí.

Mais informações: "Generating electricity while walking with loads". Science, *vol. 309, p. 1725, 2005.*

5. Usando a uva pinot noir como termômetro

Medir o que já ocorreu é sempre um desafio à criatividade científica. Um exemplo dessa criatividade é a utilização do ciclo de vida das uvas pinot noir para determinar as mudanças climáticas entre o fim da Idade Média e o presente.

A pergunta era a seguinte: a onda de calor que varreu a França em 2003 foi uma consequência do aquecimento global? Ou verões tão quentes já ocorriam no passado? O desafio era determinar como havia sido o verão, por exemplo, em 1500 sem dispor das medições de temperatura da época.

Aqui entram em cena as uvas pinot noir. Essa variedade é plantada na região de Borgonha, na França, desde a Idade Média, e a data exata do início de sua colheita tem sido fielmente registrada nas municipalidades e igrejas.

No passado, com o objetivo de garantir que a uva fosse colhida somente quando estivesse pronta para a produção do vinho, a data da colheita era determinada por decreto, a cada ano, dependendo do amadurecimento dos cachos. Usando as datas do início da colheita, os cientistas determinaram a temperatura média dos verões entre 1370 e 2003.

O primeiro passo foi entender a relação entre a velocidade de amadurecimento das uvas e a temperatura. Para tanto foram utilizados os dados de anos recentes, entre 1964 e 2001. Nesse período, as temperaturas fornecidas pelo serviço de meteorologia podem ser correlacionadas com as datas em que a pinot noir floresce, passa por sua "*véraison*", mudando de cor, e finalmente é colhida.

Os dados desses 37 anos permitiram construir uma equação que relaciona a temperatura média da primavera e do verão com a data do início da colheita. Com essa equação, foi possível inverter o raciocínio e calcular a temperatura média de cada verão utilizando a data de colheita das uvas. Assim, em 1450 as uvas só foram colhidas no fim de outubro, uma vez que os meses anteriores tinham sido em média 2ºC mais frios.

Já em 1520, o verão foi quente (4ºC acima da média) e as uvas amadureceram antes, na última semana de agosto. Em 2003, o verão foi o mais quente desde 1370 (6ºC acima da média) e a pinot noir amadureceu em meados de agosto.

Esse estudo indica que desde 1370 não houve um verão tão quente quanto o de 2003, sugerindo um efeito do aquecimento global. A uva pinot noir, como o mercúrio em um termômetro, responde de maneira previsível às variações do meio em que se encontra.

O mercúrio segue as leis da física, as uvas obedecem a uma "lei" fundamental da genética: fenótipo = genótipo + meio ambiente. O tempo de maturação das uvas varia a cada ano (fenótipo). Ele é determinado pela soma de dois componentes: o primeiro são os genes que controlam a floração, o crescimento e a maturação das uvas (genótipo); o segundo são os fatores externos, como a temperatura e a chuva (o meio ambiente).

A cada ano, o processo de maturação é modulado pelo meio ambiente e as parreiras amadurecem em diferentes datas. Parte da variabilidade entre as safras de vinho é explicada pelo fato de as uvas se comportarem como verdadeiros termômetros.

Mais informações: "Grape ripening as a past climate indicator". Nature, *vol. 432, p. 290, 2004.*

6. Melhorando cães-guia para cegos

Nossa relação com outros animais vai da afeição extrema, representada pelo mercado bilionário de alimentos para animais, ao utilitarismo puro, exemplificado pela criação intensiva de frangos com o único objetivo de sacrificá-los para nossa alimentação. Entre esses dois extremos, está o uso de animais para suprir nossas deficiências físicas. Como não temos força para puxar um arado, utilizamos um boi. Para facilitar o deslocamento, já houve época em que nada superava um cavalo, e no envio de mensagens os pombos antecederam os celulares.

Nos últimos séculos, máquinas substituíram os animais, mas em alguns casos eles ainda são a melhor solução. Um exemplo são os cães que auxiliam deficientes visuais a se locomover. Essa talvez seja uma das atividades mais sofisticadas exercidas por animais. Os cães-guia não somente captam a informação visual mas a processam e tomam decisões com base nela. É o que ocorre, por exemplo, quando encontram um poste no caminho. Eles não só desviam do obstáculo como também decidem de que lado do poste devem passar de modo a liberar espaço suficiente para seu dono poder vencer a barreira. Vale a pena observar um cachorro desses em ação e conversar com seu dono sobre suas habilidades.

Na maioria dos países, o número de animais treinados para a condução de deficientes visuais é insuficiente devido à dificuldade de treinar os cães. Quase nenhuma raça se adapta a essa função, e mesmo entre os labradores, raça da qual provém a maioria dos cães-guia, somente um em cada três cães é capaz de aprender o suficiente para se tornar útil. A consequência é que no Japão o preço de cada animal treinado chega a quase 50 mil reais. Mas se somos capazes de desenvolver raças de cachorros com as mais diversas características comportamentais e galinhas que transformam grande parte do alimento em carne, por que não uma raça de cachorros especializada em conduzir deficientes visuais?

É isso que um grupo de cientistas japoneses está tentando fazer. Até recentemente o principal obstáculo era a impossibilidade de utilizar os melhores cães-guia como reprodutores. Ao contrário do que ocorre com os melhores cavalos de corrida, que depois de avaliados são utilizados para reprodução, os cães-guia precisam ser castrados antes de iniciar o treinamento. Essa barreira foi superada com a utilização de técnicas modernas de congelamento de células. Os cientistas preservaram os óvulos e os espermatozoides de todos os animais castrados e, uma vez conhecido o resultado do treinamento, utilizaram as células preservadas para obter filhotes apenas dos melhores animais. Além disso, montaram um banco de dados que correlaciona as características comportamentais de cada animal com as variações presentes em seu genoma. Utilizando essas duas ferramentas, os pesquisadores japoneses já obtiveram uma variedade melhorada de labrador, e a taxa de sucesso no treinamento passou de 30% para 80%. A esperança é que no futuro próximo seja possível desenvolver uma raça especializada na condução de deficientes visuais.

Esse é um exemplo atual de como o homem é capaz de transformar uma espécie animal, criando animais que fazem por nós o que nós, humanos, não somos capazes de fazer. Nesse caso, construir olhos artificiais e restaurar a visão.

Mais informações: "Biobank provides leads for selecting breeding dogs". Nature, *vol. 446, p. 119, 2007.*

7. O fim do jogo de damas

Todos os anos os editores da *Science* escolhem o que eles consideram as grandes descobertas daquele ano. É uma oportunidade para conhecer descobertas importantes não divulgadas pela imprensa. Em 2007, em décimo lugar, foi eleito o trabalho de matemáticos canadenses que, depois de dezoito anos, "resolveram" o problema do jogo de damas. A boa notícia é que essa descoberta não diminuirá em nada o prazer de jogar damas.

O jogo de damas é um jogo de complexidade média, muito mais complicado que o jogo da velha, em que cada jogador coloca peças em um quadrado três por três para tentar obter três peças alinhadas, mas muito mais simples que o jogo de xadrez, em que diferentes peças possuem movimentos peculiares e ocupam um número enorme de posições possíveis em um tabuleiro. No jogo de damas, o tabuleiro é o mesmo do xadrez, com oito quadrados de cada lado. O jogo só ocorre nos quadrados de uma mesma cor e cada jogador inicia com doze peças idênticas organizadas em três fileiras. Os movimentos se dão na diagonal e as peças do adversário podem ser "comidas" se for possível saltar sobre elas, aterrissando no quadrado seguinte. O jogo é complexo. Foi calculado que o número total de possíveis configurações no tablado é de 500 bilhões de bilhões.

No caso do jogo da velha, qualquer criança aprende, após alguns meses de prática, que, jogando corretamente, é sempre possível forçar um empate. Em outras palavras, é impossível ganhar de um jogador habilidoso. A vitória só ocorre se um jogador errar. Quando uma criança aprende que isso é possível, é uma felicidade enorme. Essa descoberta significa que o jogo está resolvido, ou seja, que a receita para a vitória (ou empate) é conhecida. No caso do xadrez, os matemáticos ainda estão longe de saber se será possível um dia resolver o jogo. No máximo conseguem programar computadores que jogam um pouco melhor que os melhores humanos. Nesse caso, o computador simplesmente "imita" os mecanismos mentais dos jogadores e não é programado a partir da "solução" para o problema do jogo.

O que os cientistas canadenses conseguiram demonstrar, no caso do jogo de damas, é que existe uma solução para o problema e que, se um dos jogadores for programado para jogar de acordo com ela, o máximo que o outro jogador poderá obter é um empate. Em outras palavras, é impossível vencer o programa que eles desenvolveram: o jogo de damas foi reduzido a uma versão complexa do jogo da velha.

Para isso, os canadenses estudaram os 39 bilhões de configurações possíveis com dez peças ou menos. Analisar todas as possibilidades teóricas ainda está fora da capacidade dos maiores computadores. Com esses dados e algumas deduções sobre os possíveis movimentos iniciais, os cientistas conseguiram demonstrar que sempre é possível forçar um empate. Na prática, nenhum humano vai conseguir empatar com o computador, pois para isso é necessário não cometer nenhum erro. Dada a complexidade do jogo, vamos sempre cometer erros e a disputa sempre vai terminar em vitória do computador. Empate somente quando um computador jogar contra outro.

Mas a grande descoberta é que, ao contrário do que ocorre com o jogo da velha, a solução do problema é tão complexa que nunca nenhum de nós vai deparar com outro ser humano capaz de jogar utilizando a solução descoberta pelos canadenses. Portanto, nada muda nas calçadas, nas praças e nos botequins.

Mais informações: "Game over". Science, *vol. 318, p. 1848, 2007.*

XI. POLÍTICA

1. Caçar ratos é mais fácil que cassar ratos

Nossa experiência recente mostra quão difícil é cassar ratos. Países como a Nova Zelândia levam realmente a sério esse assunto. Num estudo recente, cientistas neozelandeses demonstraram a incrível capacidade de um único rato de escapar à perseguição humana.

Na Nova Zelândia não existiam ratos, mas hoje grande parte das ilhas está infestada por ratos da Noruega. Como os ratos causam enormes desequilíbrios ecológicos, a Nova Zelândia montou uma campanha para exterminá-los de algumas ilhas. As ilhas Motuhoropapa (9,5 hectares de área) e Otata (22 hectares) têm sido o palco de uma batalha brutal entre ratos e humanos. Cobertas por uma densa floresta, elas foram invadidas seis vezes por ratos entre 1981 e 2002, e a cada invasão todos os animais foram capturados e mortos. De 2002 a 2004, os humanos conseguiram manter as ilhas sem ratos. Mas isso exige muito conhecimento e perseverança.

Foi para aperfeiçoar esse conhecimento que os cientistas capturaram um rato selvagem em uma ilha próxima e, após colocar um colar com um radiotransmissor e examinar seu DNA, o soltaram numa praia da ilha de Motuhoropapa. Ele era o único rato de lá. A ideia era seguir seus movimentos via rádio e, sem usar essa informação, tentar capturá-lo utilizando qualquer meio disponível: uma batalha de muitos homens contra um único rato que durou dezoito semanas.

Nas primeiras quatro semanas, os sinais de rádio indicaram que o rato vagou por toda a ilha de Motuhoropapa até restringir seus movimentos a uma área que correspondia a 10% da ilha. Ali foram instaladas vinte ratoeiras, quinze armadilhas tendo gordura como isca, quinze armadilhas de túnel, e ainda foram utilizados dois cães farejadores. Mesmo com todo esse arsenal o rato não foi capturado. Já haviam se passado dez semanas e nada de pegar o rato.

Na décima semana, o sinal de rádio desapareceu. No dia seguinte, ele ressurgiu na ilha de Otata, onde não havia nenhum rato. Os cientistas se dirigiram à ilha, separada por quatrocentos metros de oceano, e lá encontraram fezes de rato. Os testes de DNA confirmaram: era o mesmo rato. A caçada recomeçou. Foram mais dois meses e cinquenta armadilhas de diversos tipos. Dezoito semanas após terem soltado o rato na praia, os cientistas conseguiram capturar o bicho. Foi necessário usar carne fresca de pinguim como isca.

A capacidade dos ratos de sobreviver ao ataque humano é enorme. Mesmo isolado em uma ilha cheia de alimentos (Motuhoropapa chegou a ter 4,2 ratos por hectare após uma das invasões), um rato é capaz de se lançar numa travessia em mar aberto sem saber se vai encontrar outra ilha pela frente. Os cientistas acreditam que o roedor arriscou a vida motivado pela solidão. Ou pela falta de parceiros sexuais.

Esse experimento demonstra a dificuldade que o homem encontra quando tenta interferir diretamente nos processos naturais que regulam os ecossistemas. Os ratos noruegueses chegaram à Nova Zelândia nos barcos europeus. Esse descuido provavelmente condenou a Nova Zelândia a conviver para sempre com ratos. Cassar o direito dessa espécie de habitar o arquipélago parece impossível.

Mais informações: "Intercepting the first rat ashore". Nature, *vol. 437, p. 1107, 2005.*

2. Dar valor à vida, em reais

O progresso da medicina nivelou as nações do mundo. Hoje nenhuma tem dinheiro suficiente para assegurar o melhor tratamento médico à sua população. Os países pobres nem sequer dispõem de recursos para oferecer um programa básico de vacinação, enquanto os mais ricos se mostram incapazes de garantir que qualquer cidadão tenha acesso a todo e qualquer tratamento. Todas as nações, ricas ou pobres, enfrentam o mesmo problema: é preciso decidir qual a melhor maneira de gastar a quantidade limitada e insuficiente de dinheiro destinada à saúde. Priorizar os investimentos em saúde significa abandonar a crença de que "Uma vida não tem preço" e tentar desenvolver métodos socialmente aceitáveis de aplicar relações de custo/benefício para os gastos com saúde. E isso implica associar um valor monetário à vida humana.

O primeiro passo é determinar quais remédios funcionam. Isso já é feito nos Estados Unidos desde 1962, quando a lei Kefauver Act deu poderes ao FDA (a agência reguladora de medicamentos e alimentos) para impedir a comercialização de medicamentos que não tivessem efeitos terapêuticos comprovados ou que causassem danos à saúde.

O segundo passo é comparar a eficácia de cada novo medicamento com os já utilizados e determinar seus efeitos colaterais. A velocidade com que novos medicamentos são liberados e o tempo necessário a esse tipo de estudo fazem com que as informações sobre comparações diretas entre medicamentos demorem anos até ser disponibilizadas. Durante esse período, podemos estar consumindo medicamentos mais caros e muitas vezes menos eficazes ou com efeitos colaterais piores. Foi o caso do anti-inflamatório Vioxx em 2004.

O terceiro passo é o mais difícil. Consiste em discutir e estabelecer uma metodologia que permita determinar, por exemplo, o valor de um ano de vida e compará-lo com o custo do tratamento necessário para obter esse ano.

Imagine um remédio que ingerido diariamente durante vinte anos prolongue sua vida por seis meses. Se ele custar dez reais por dia de tratamento, você vai pagar 73 mil reais pelos seis meses de vida. É caro ou barato? E se for necessário tratar 1 milhão de pessoas?

Ao contrário dos computadores, que a cada ano ficam melhores e mais baratos, os medicamentos, a cada ano, se tornam melhores e mais caros. Enquanto a sociedade acreditar que uma vida não tem preço, as companhias farmacêuticas vão continuar a sustentar que um remédio novo, potencialmente melhor, também não tem preço.

Quanto você acha que a Intel cobraria por uma nova versão de seus processadores se a sociedade acreditasse que um aumento na velocidade do computador, por menor que fosse, não tivesse preço?

Mais informações: Powerful medicines, *de Jerry Avorn, ed. Alfred A. Knopf, Nova York, 2004.*

3. Quanto vale a vida de um ser humano

Infelizmente não existe sociedade rica o suficiente para garantir ao total da população o acesso a todo o arsenal médico disponível. O custo crescente das novas e sofisticadas armas de que dispomos para combater as doenças está nos forçando a enfrentar essa realidade. Como compatibilizar o uso desse arsenal com um orçamento limitado? Um problema simples de enunciar mas difícil de resolver. Em vista da quantidade limitada de dinheiro e dos tratamentos disponíveis, qual a melhor maneira de empregar esse dinheiro para melhorar a saúde da população? Que doenças, tratamentos e medidas de prevenção devem ser custeados e para que pessoas? E o mais difícil: que tratamentos devem ser negados e para que grupos de pacientes?

Estudos que tentam resolver esse problema acabam pondo um preço na vida humana. Na Inglaterra, que possui um dos melhores sistemas públicos de saúde, existe um órgão governamental independente, o Nice (National Institute for Health and Clinical Excellence, http://www.nice.org.uk), cuja função é fazer esse tipo de recomendação. Recentemente o Nice decidiu que só aprovaria tratamentos que prolongam a vida de pacientes com câncer se o custo de um prolongamento de seis meses fosse menos que 22 750 dólares. Em outras palavras, para o Nice a vida de um cidadão com câncer não vale mais que 125 dólares por dia. Para o instituto, caso o custo ultrapasse esse valor, o dinheiro será mais bem empregado em outros programas. É interessante compreender o raciocínio por trás do trabalho do Nice.

Imagine um país com 1 milhão de habitantes onde só há dois problemas de saúde: uma doença infecciosa para a qual existe uma vacina e uma doença que requer um transplante de órgão. Com o orçamento disponível, só é possível escolher um caminho: ou vacinar toda a população contra a doença infecciosa, ou tratar as dez pessoas que necessitam de transplantes todos os anos. O que você faria? A decisão parece simples; proteger todas as crianças talvez seja mais importante que salvar as dez pessoas à espera de transplantes. Mas o problema pode se complicar. Imagine que a doença infecciosa, apesar de desagradável, se cure sozinha, como é o caso do sarampo. Então talvez seja melhor fazer os transplantes e salvar dez vidas. E se agora eu descobrisse que, apesar de a doença se curar sozinha, em 0,0001% dos casos ela causa a morte da criança? Sem a vacinação dez crianças poderiam morrer. Você escolheria salvar dez crianças ou dez adultos? Imagine agora o mesmo problema em um país como o Brasil, com centenas de doenças, tratamentos, métodos de diagnóstico e medidas de prevenção. O problema que o Nice tenta solucionar é no mínimo complicadíssimo, mas sem seus estudos as decisões provavelmente fossem tomadas de maneira aleatória ou, pior, guiadas por motivações político-eleitorais.

Quando defrontada com esse problema, a maioria das pessoas (médicos inclusive) tende a responder que é necessário aumentar o orçamento da saúde e diminuir o custo dos tratamentos. Sem dúvida isso mitiga o problema, mas com o custo da saúde crescendo a cada ano e já consumindo entre 10% e 30% do PIB nos países desenvolvidos, será cada vez mais difícil fugir dos dilemas éticos decorrentes da escolha de que vidas devemos salvar e do quanto a sociedade está disposta a investir para prolongar a vida de cada um de nós.

Mais informações: Who should we treat?, *de Christopher Newdick, Oxford University Press, Nova York, 2005.*

4. Os marcos do começo e do fim

A vida não começa com o nascimento e não termina com a morte. A vida teve um início que desconhecemos e um fim que não vislumbramos. Não sabemos como ela surgiu, mas desde então ela tem se reproduzido de maneira contínua e ininterrupta. Por isso, a única coisa que temos certeza sobre nossos ancestrais é que nenhum deles deixou de se reproduzir.

O que começa com o nascimento e termina com a morte é a existência de uma pessoa, que recebeu a vida dos pais e a passará a seus filhos. Se, por um lado, desejamos respeitar e proteger a vida das pessoas, por outro, a sociedade enfrenta uma dificuldade crescente em definir com precisão o que é uma pessoa, quando sua existência se inicia e quando termina. A dificuldade em colocar limites precisos em um processo que é intrinsecamente contínuo explica por que os marcos que escolhemos para delimitar nossa existência têm mudado ao longo da história.

Até poucos séculos atrás se acreditava que uma pessoa passava a existir no momento do parto, quando o ar entrava em seus pulmões. Para alguns era nesse momento que a alma se ligava ao corpo. Coerentemente, a vida terminava com o último suspiro do moribundo e a saída da alma. O aparecimento e o desaparecimento de uma única função do corpo marcavam o início e o fim.

Mais tarde, a ausência de batimentos cardíacos é que passou a sinalizar o fim de um indivíduo. Mas se o fim é determinado pela parada do coração, não seria de se esperar que o início fosse determinado pelo surgimento dele? Talvez a falta de métodos capazes de detectar quando se iniciam os batimentos cardíacos tenha impedido sua adoção como o marco para o início da vida. Hoje sabemos que o coração começa a bater na quarta semana de gravidez.

Quando a ciência descreveu nosso desenvolvimento intrauterino, ficou claro que fetos nos estágios finais de desenvolvimento deveriam ser considerados pessoas e mereciam proteção legal, época em que a fecundação foi postulada como o marco do início da existência de uma pessoa. Permaneceu a assimetria. O início da existência passou então a ser determinado pelo surgimento da primeira célula com seu genoma, mas seu fim continuou determinado pela parada cardíaca, que ocorre muito antes da morte da última célula da pessoa.

Na segunda metade do século XX, a parada cardíaca foi substituída pela morte cerebral, refletindo o reconhecimento de que a individualidade de alguém reside em seu cérebro, em seus sentimentos e em sua consciência. Nessa época, muitos passaram a defender a ideia de que o início da existência deveria ser determinado pelo aparecimento do sistema nervoso no embrião, que seria a condição necessária para a existência dos sentimentos, da consciência e das emoções (ele se forma por volta da sexta semana). Desse modo, o surgimento e o desaparecimento de uma única propriedade marcariam o início e o fim de uma existência.

Apesar de sabermos que a vida é um contínuo, a sociedade necessita de marcos arbitrários para poder proteger a vida do indivíduo. Porém é preciso compreender que esses marcos não só mudam ao longo do tempo, mas devem ser revistos à medida que a ciência e a sociedade avançam.

Mais informações: River out of eden: a Darwinian view of life, *de Richard Dawkins, Basic Books, Nova York, 1995.*

5. Quem sofre mais com a morte de cobaias

A maioria das pessoas tem dó dos ratos sacrificados pelos cientistas. Só na Inglaterra eles são 2,4 milhões por ano. Recentemente, no Rio de Janeiro, discutiu-se a proibição do uso de ratos em experimentos. Vinda do ser humano, um animal que se alimenta exclusivamente de outros seres vivos, essa atitude é irônica. Afinal cada bocada de alimento que ingerimos corresponde à morte de um ser vivo, seja ele uma alface, um peixe ou outro mamífero qualquer. Com o advento da indústria alimentícia, deixamos de conviver tão de perto com essas mortes — quantos de nós já viu um boi sendo morto ou já sacrificou um frango? Mas a realidade é que nos preocupamos com a morte dos ratos de laboratório e por isso a maneira como os animais são sacrificados vem sendo regulamentada em diversos países. O objetivo tem sido propiciar aos roedores um tratamento "humano".

Recentemente, um grupo de cientistas se reuniu para avaliar se o método que vem sendo utilizado de fato poupa os animais do sofrimento. A conclusão foi que ele causa pouco sofrimento psicológico nas pessoas que sacrificam os animais, mas não obrigatoriamente evita o sofrimento dos roedores.

O método hoje recomendado consiste em colocar os ratos em um recipiente e aos poucos ir misturando gás carbônico no ar que eles respiram. Eles calmamente se deitam e, sob efeito soporífero do gás, perdem a consciência e morrem dormindo. Para quem olha, parece uma morte pacífica. Em fevereiro de 2006, 34 cientistas se reuniram em uma cidade da Inglaterra para rever tudo o que se conhece sobre esse método e, se necessário, recomendar alterações.

Os resultados foram surpreendentes. Foi demonstrado que os ratos percebem quando a concentração de gás carbônico aumenta e passam por um estresse antes de sucumbir ao efeito anestésico. Por outro lado, descobriu-se que, quando os animais são colocados diretamente em um ambiente com alta concentração do gás, eles dormem muito rápido e o estresse é reduzido, embora esse aumento rápido de concentração do gás no organismo possa provocar dores. Depois de muita discussão, chegou-se à conclusão de que os métodos que causam menos sofrimento são a degola em uma guilhotina ou um procedimento no qual o pesquisador desloca o pescoço do animal. Em ambos os casos, os animais morrem com um mínimo de sofrimento. O problema é que esses procedimentos causam sofrimento psicológico nas pessoas que executam os animais, o que traz à baila o valor relativo do sofrimento humano diante do sofrimento animal. Uma alternativa seria utilizar primeiro um gás anestésico, semelhante ao usado em hospitais, e depois o gás carbônico. Porém esse método poderia pôr em risco a vida das pessoas que sacrificam os animais.

A questão é complexa, pois muitas vezes o que é ideal para os ratos faz sofrer seus executores. Mas em um ponto todos os cientistas concordaram: a maneira como os ratos são mortos nos laboratórios causa menos sofrimento do que os métodos usados para caçá-los nas residências. Nas ratoeiras, os animais podem chegar a se debater por horas antes de morrer. Nas armadilhas feitas com papéis adesivos, os ratos ficam presos por um longo tempo, até serem encontrados e executados, e os venenos utilizados pelas prefeituras causam uma morte lenta e sofrida.

Mais informações: "An easy way out?". Nature, *vol. 441, p. 570, 2006.*

6. Vale a pena dar choques em macacos?

Se para se alimentar um macaco for obrigado a fazer outro macaco sofrer, ele prefere passar fome. Essa descoberta demonstra que os macacos são mais parecidos conosco do que imaginávamos e seguramente contribuiu para aumentar nosso respeito por nossos primos mais próximos. Mas para descobrir esse fato foi preciso fazer um grupo de macacos sofrer. Daí o dilema: seria melhor ter evitado o sofrimento dos macacos e continuar a imaginar que eles eram desprovidos de sentimentos altruístas? Ou o sofrimento foi pequeno comparado ao conhecimento que se adquiriu? Em virtude das normas de proteção de animais de laboratório, hoje seria quase impossível repetir esse experimento, mas em 1964 ele foi realizado e se tornou um clássico da literatura científica.

Foram usadas duas gaiolas separadas por um vidro semiespelhado. Na primeira, havia duas lâmpadas, uma vermelha e outra azul, e duas cordas que o macaco podia puxar. Quando a luz vermelha acendia, caso o macaco puxasse a corda A, recebia comida; caso puxasse a corda B, nada acontecia. Quando a luz azul acendia, o macaco deveria puxar a corda B para obter alimento.

Após diversos dias na gaiola, com as luzes se acendendo aleatoriamente, os macacos aprenderam que para obter o alimento bastava puxar a corda correta: luz vermelha/corda A; luz azul/corda B. Depois que o macaco estava treinado, um segundo macaco era colocado na jaula ao lado com água e comida à vontade. O macaco treinado podia ver o segundo macaco, mas não ouvia nenhum ruído vindo de lá. Essa segunda gaiola tinha um piso gradeado, capaz de ministrar choques em seu ocupante. Depois de alguns dias o sistema era reprogramado. Então, cada vez que o macaco, induzido pela luz vermelha, puxasse a corda A, um choque era administrado no macaco da jaula ao lado, ao mesmo tempo que a comida era liberada. Ao ver a luz azul, se o macaco acionasse a corda B o alimento era liberado sem que o vizinho sofresse o choque.

Dos quinze macacos testados, dez diminuíram o número de vezes que puxavam a corda A quando a luz vermelha se acendia, deixando de receber parte de sua ração diária. Em outras palavras, preferiram passar fome a puxar a corda e ver seu vizinho levar um choque. O mais impressionante aconteceu com dois macacos que, depois de verem o vizinho sofrer, deixaram de puxar qualquer corda, mesmo a que não provocava o choque. Um deles ficou doze dias sem se alimentar, o outro, cinco dias. Somente três macacos permaneceram indiferentes ao sofrimento dos vizinhos.

A conclusão foi que a maioria dos macacos, diante de uma opção, prefere abrir mão de parte de sua alimentação ou mesmo passar fome por diversos dias a ver outro macaco sofrer. Uma reação espantosa, uma vez que no experimento os macacos altruístas não passaram por nenhum sofrimento físico nem receberam recompensa por seu comportamento. Bastou observar o sofrimento para que a maioria deles abrisse mão do alimento. Foi essa experiência que originou a ideia de que alguns animais possuem uma forma primitiva de moral. É claro que o teste nunca foi repetido com voluntários humanos, mas eu adoraria saber o resultado. Seria uma boa indicação de nosso destino caso os macacos fossem a espécie dominante no planeta e nós a espécie em vias de extinção.

Mais informações: "'Altruistic' behavior in rhesus monkeys". Am. J. Psychiatry, *vol. 121, p. 584, 1964.*

7. 150 doutores foram para o espaço

Em 2006 um brasileiro conquistou o direito de passar uma semana em órbita ao redor da Terra, viajando como passageiro de uma nave espacial russa. O governo brasileiro pagou 10 milhões de dólares pela viagem, e, ainda que seja importante para o país desenvolver seu setor aeroespacial, a questão é saber se enviar um astronauta para o espaço é o melhor uso que o país pode fazer de 10 milhões de dólares de impostos.

O desenvolvimento de setores de alta tecnologia depende primordialmente da existência de profissionais qualificados e de um programa de financiamento consistente. O programa espacial americano teve em sua origem um grupo de cientistas europeus que migraram para os Estados Unidos durante a Segunda Guerra Mundial. No Brasil, o surgimento da Embraer, hoje o terceiro maior fabricante de aviões comerciais do mundo, pode ser creditado em grande parte à formação de engenheiros especializados pelo Instituto de Tecnologia Aeronáutica (ITA), localizado em São José dos Campos, em São Paulo.

Será que o Brasil possui um número suficiente de doutores

em engenharia aeroespacial? É difícil determinar qual o número necessário, mas é possível estimar quantos engenheiros aeroespaciais se dedicam à pesquisa científica no Brasil. O Conselho Nacional de Desenvolvimento Científico e Tecnológico (CNPq) tem um banco de dados (http://lattes.cnpq.br/) com os currículos dos cientistas que atuam no Brasil. A lista de todos os doutores ali classificados como engenheiros aeroespaciais consta de 124 nomes. Mesmo que esse número tenha sido calculado por baixo, é fácil concluir que é muito pouco. Só de zoólogos, a mesma base de dados lista quase setecentos.

Quantos cientistas é possível formar com 10 milhões de dólares? Para formar doutores, o CNPq oferece bolsas de estudo. No ano da viagem espacial do astronauta brasileiro, essas bolsas pagavam ao estudante 1267 reais por mês. Formar um doutor no país leva cinco anos e custa ao CNPq 76 mil reais. Com 10 milhões de dólares (22 milhões de reais na época), era possível formar 290 novos doutores. Mas o Brasil, que ainda não possui um programa espacial de primeira linha e cujo último experimento, em agosto de 2003, resultou na explosão do foguete ainda na base de lançamento em Alcântara (vinte técnicos morreram), talvez devesse enviar seus engenheiros para ser treinados no exterior. Para tanto, o CNPq distribui bolsas de doutoramento que custam ao contribuinte 1100 dólares por mês. Considerando os cinco anos necessários para formar um doutor no exterior, ele não sai por menos de 66 mil dólares. Um cálculo rápido mostra que com 10 milhões de dólares seria possível formar 150 doutores fora do país.

Mas será que formar mais 150 doutores no exterior faz alguma diferença? As estatísticas no site do CNPq ajudam a compreender o significado desse número. No ano 2000, o CNPq financiava 420 estudantes de doutoramento fora do Brasil. Em dezembro de 2004, esse número havia sido reduzido para 220 doutorandos, distribuídos entre todas as áreas do conhecimento — um número que permite formar 45 doutores por ano. Com o dinheiro gasto para enviar um astronauta ao espaço, o CNPq poderia praticamente duplicar o número de bolsistas no exterior ou formar quase trezentos doutores no Brasil. Infelizmente, esse é mais um caso em que investimentos em educação foram trocados por publicidade.

O que foi para o espaço foi a possibilidade de formar 150 cientistas. É pena.

8. Cientistas brasileiros transformaram rochas em ilhas

As águas territoriais que circundam o arquipélago de Fernando de Noronha se sobrepõem às águas territoriais que acompanham a costa nordestina. O resultado prático é que um viajante partindo de Natal pode chegar a Fernando de Noronha navegando ao longo de uma "península" de águas territoriais brasileiras. Se esse navegante continuar sua jornada por mais 610 quilômetros (~330 milhas marítimas), vai encontrar um conjunto de dez afloramentos rochosos, o maior deles com 6 mil metros quadrados, o equivalente a um pouco mais que a metade de um quarteirão. Sem água doce, inabitadas e inabitáveis, essas rochas estão no máximo vinte metros acima do nível do mar. São as rocas de São Pedro e São Paulo.

Foi em torno dessas pequenas rochas que a Marinha brasileira, o Itamaraty e o Ministério da Ciência e Tecnologia montaram uma estratégia para estender as águas territoriais brasileiras até quase o centro do oceano Atlântico. A ideia era simples. Se a ONU concedesse ao Brasil duzentas milhas de águas territoriais em volta das rocas de São Pedro e São Paulo, essas águas territoriais se sobreporiam às de Fernando de Noronha, levando o controle brasileiro até o centro do Atlântico. O ponto mais distante dessa "península" de águas territoriais brasileiras estaria a ~1300 quilômetros da costa brasileira e a ~1400 quilômetros da costa africana. Mas havia um problema. Os tratados internacionais são claros: "*Os rochedos que, por si próprios, não se prestam à habitação humana ou à vida econômica não devem ter Zona Econômica Exclusiva nem plataforma continental*". Era preciso convencer a ONU de que aquelas pedras eram ilhas e que se prestavam à habitação humana.

Em 1999, quando eu trabalhava no Ministério da Ciência e Tecnologia, descobri que um número razoável de bolsas de pesquisa havia sido concedido à Marinha para um projeto de pesquisa nas rocas de São Pedro e São Paulo. Apesar de a ciência que se podia fazer nesse local inóspito ser extremamente limitada, o projeto permitia que um time de "colonizadores" vivesse de forma permanente em uma pequena casa de 45 metros quadrados, abastecidos por viagens regulares de navios da Marinha, bebendo a água produzida por um dessalinizador. Os bolsistas eram substituídos periodicamente, garantindo durante anos uma "população" estável, demonstrando assim que aquelas "ilhas" se prestavam à habitação humana.

Qual não foi meu prazer ao ler no jornal *O Estado de S. Paulo*, em 2007, que o pleito do Brasil havia sido aceito pela ONU. No mapa publicado no jornal, nossa grande "península" de águas territoriais, conquistada arduamente pelos cientistas brasileiros, podia ser apreciada. A legenda, no entanto, confundia o atol das Rocas (localizado entre Fernando de Noronha e a costa) com as agora denominadas Ilhas de São Pedro e São Paulo.

A ONU aceitou que essas rochas são ilhas habitáveis, mas alguém se esqueceu de avisar a mãe natureza. Em meados de 2006, uma tempestade destruiu a estação experimental e os cientistas tiveram de se atirar no mar para não ser varridos pelas ondas. Foram salvos pela Marinha. As rochas retornaram à sua solidão no meio do Atlântico, agora cercadas por águas territoriais brasileiras. Meses mais tarde a estação foi reconstruída.

Esse projeto, digno de um barão do Rio Branco, aumentou o território brasileiro em 712 mil quilômetros quadrados, equivalente a mais de dez vezes a área plantada com cana-de-açúcar no Brasil.

Índice remissivo

1ª EDIÇÃO [2010] 8 reimpressões

ESTA OBRA FOI COMPOSTA EM MINION PELO ESTÚDIO O.L.M.
E IMPRESSA EM OFSETE PELA GEOGRÁFICA SOBRE PAPEL PÓLEN SOFT
DA SUZANO S.A. PARA A EDITORA SCHWARCZ EM ABRIL DE 2022

A marca FSC® é a garantia de que a madeira utilizada na fabricação do papel deste livro provém de florestas de origem controlada e que foram gerenciadas de maneira ambientalmente correta, socialmente justa e economicamente viável.